帕拉丁

郑州日产汽车

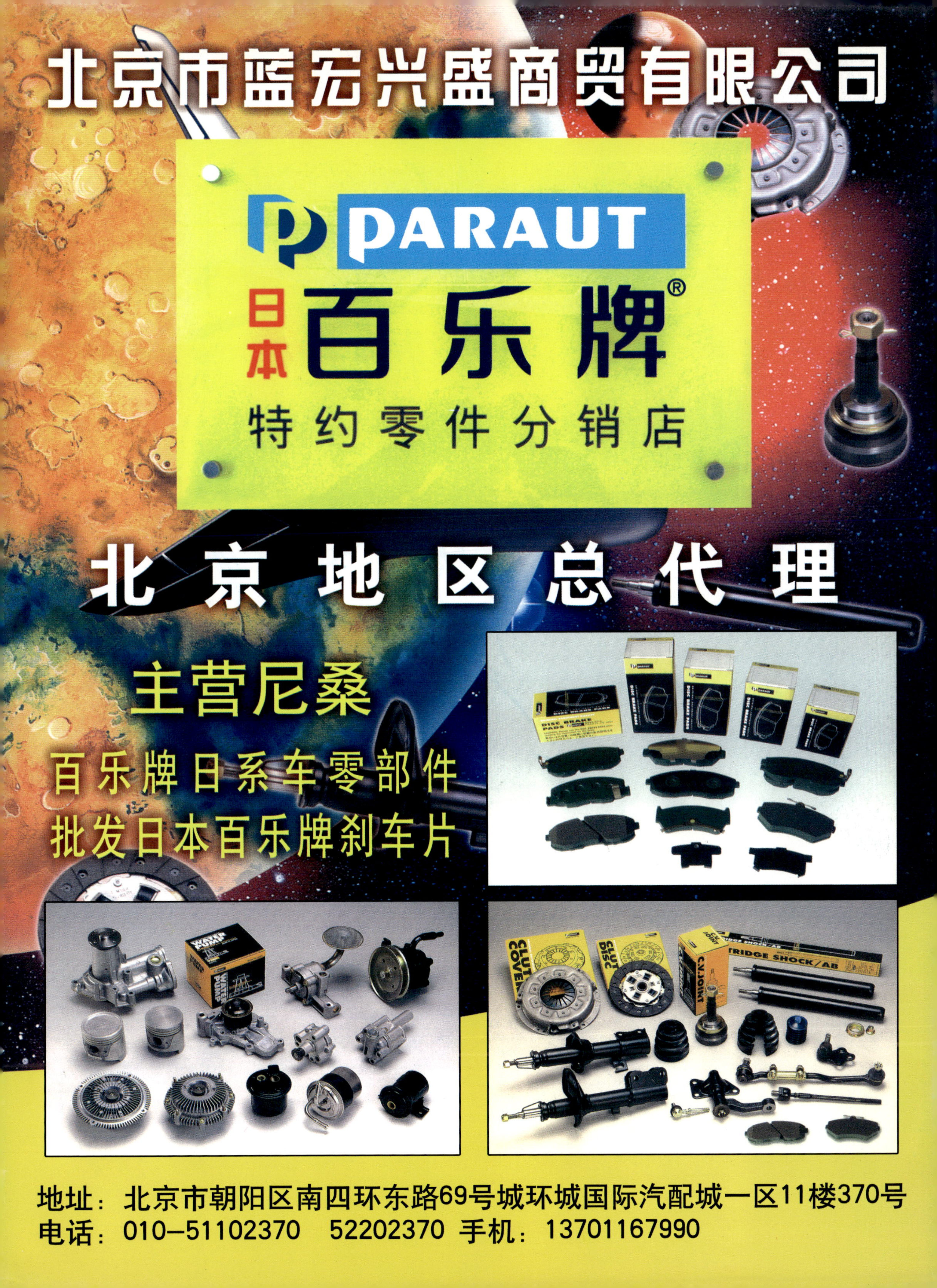
北京市蓝宏兴盛商贸有限公司
PARAUT
日本 百乐牌®
特约零件分销店
北京地区总代理
主营尼桑
百乐牌日系车零部件
批发日本百乐牌刹车片
地址：北京市朝阳区南四环东路69号城环城国际汽配城一区11楼370号
电话：010-51102370　52202370 手机：13701167990

本田配件专营
HONDA
本田全系列配件
代收本田事故车
北京嘉诚瑞捷商贸有限公司
地址：北京市南四环东路城环城国际汽配城19号楼568号
电话：010-51102568 52202568 52202865
传真：010-52202568
手机：13011883015

TOYOTA
沙漠王：4700 4500
4000 2700
佳 美：ACV30 MCV20
VCV10 SXV10
凌 志：LS430 LS400
LX470 ES300
皇冠、锐志
威驰、花冠
凯美瑞全车配件
CAMRY
北京金宏昌汽车配件有限公司
地址：北京市朝阳区南四环东路69号城环城汽配城8号楼247—249号
电话：010—51102247 51102248 51102249 52202247 52202248 52202249
E—mail：bjycsl@188.com 邮编：100176

北京锦利四海商贸有限公司
BEIJING JINLISIHAI SHANGMAOYOUXIANGONGSI
HYUNDAI
MOBIS
纯正部件 现货供应
江淮瑞风
JAC
原装H-I
H-1
代订急件3-7天到货
地址：北京朝阳区五方天雅汽配城东七区65、67号
电话：010-87330383 87330757 87339633
传真：010-87339636 手机：13910303496 13521840921
Email:jinlisihai@hotmail.com

北京昊鑫达泰汽车配件销售中心
VOLVO
专营：VOLVO、S 80拆车件大全
【品牌配件、奔驰、宝马、沃尔沃拆车件】
地址：朝阳区王四营乡五方天雅汽配城西6区28-30号
电话：010-87330462 传真：010-87330482 手机：13901238007

北京宝之杰汽配有限公司
Mercedes-Benz
BMW
奔驰　宝马原厂零件批发销售
奔驰　宝马原厂维修零件资料
专业奔驰、宝马疑难故障维修咨询
急件国内订货一天到货
宝马马来西亚订货一周到货
奔驰新加坡订货一周到货
生活艺术　唯你独尊
地址：北京市朝阳区城环城国际汽配城 3 楼 96 号
电话：010–51102096　52202096
传真：010–52202096　手机：13366858092

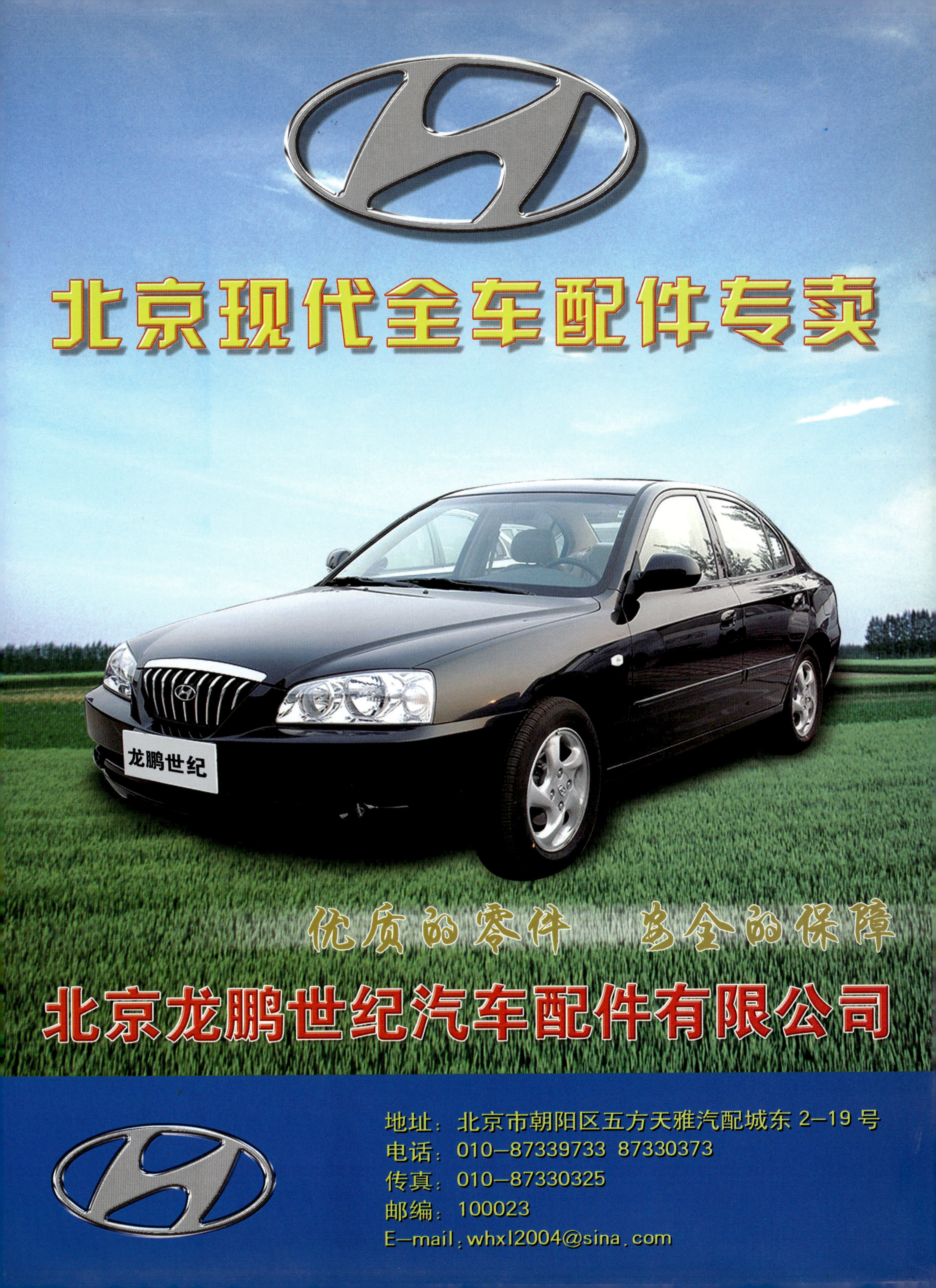

北京现代全车配件专卖
龙鹏世纪
优质的零件　安全的保障
北京龙鹏世纪汽车配件有限公司
地址：北京市朝阳区五方天雅汽配城东 2–19 号
电话：010–87339733 87330373
传真：010–87330325
邮编：100023
E–mail：whxl2004@sina.com

全国汽车配件购销指南

北京汽车总工会
北京京联迅信息公司　编

2007年1月　　最新版本

海南·海天

图书在版编目（CIP）数据

全国汽车配件购销指南/北京京联迅信息资迅有限公司

HABN7-80158-379-9

海南海天出版社

Ⅰ全…… Ⅱ北……Ⅲ购销指南……ⅣC921・1-59

全国汽车购销指南

北京京联迅咨询有限公司

850×1168 毫米　16 开　20 印张　480 千字

2007 年 1 月第一版　2007 年 1 月第一次印刷

印量 30000 册

定价：268 元

目 录

北京永利发永诚商贸有限公司

主营：北汽福田、江淮、跃进、东风小霸王、沈阳金杯（491）、北内 492、北京 1041；统一公司授权润滑油代理商；机油（壳牌、美孚、长城、统一等）、齿轮油、刹车油、黄油、工业油、防冻液、蓝星、长城、壳牌、化清剂、玻璃水、内清、外清；电瓶：风帆、德尔福等各种型号电瓶

地址：北京丰台草桥东路草桥汇丰汽配城 5 厅 1 号
电话：010－51751098
51751086

北京佳诚旺达大众汽车配件销售有限公司

主营：专业批发、零售：桑塔纳（2000 型）、时代超人、捷达、捷达王、帕萨特 B5、奥迪

地址：北京市朝阳区城环城汽配城 6 号楼 168 号
电话：010－51102168
传真：010－52202168

北京共鑫正源科贸有限公司

主营：奥迪 A8、Q7、A6L、A4（B7）

地址：北京市朝阳区城环城汽配城 2 号楼 58、59 号
电话：010－51102058
邮箱：xinfeng.pan@263.net

北京市君悦汽配件销售中心

主营：帕萨特 B4 B5、1.8、1.8T、2.0、2.8，
奥迪 C5、C6、1.8、1.8T、2.4、2.8

兼营：大众拆车件

地址:北京市朝阳区城环城国际汽配城 6 楼 177 号
电话:010-51102177　52202177
13051272163
传真:010-52202177

北宏汽配

主营:上海大众、

专营：帕萨特、领驭、波罗、高尔

地址：北京市朝阳区城环城汽配城 1 号楼 31 号
电话：010-51102859

北京江宁达汽配

主营：雅阁：CB3、CB7、CD4、 CD5 、CE6 ，
思域：EK1、EK3、EG8、ES5、ES7、RN3，
广本：CF9、CG5、CG1、CM4、CM5、CM6，
里程：KA7、KA9，吉普：RD1、RD5、CRV，
飞度：GD1、GD3、GD6、GD8（代定急件）

地址：朝阳区城环城汽配城 8 号楼 250 号
电话：010-51102250　52202250
13901227620
传真：010-51102250

北京金地广源汽车配件经营部

主营：广州标致、东风标致、
法国标致

地址：朝阳区南四环东路 69 号城环城汽配城 3 号楼 81 号
电话：010-52202969
13810807969
邮箱：XDGY307-206@hotmail.com

北京通朋利达贸易有限公司

主营：韩国系列车型

地址：朝阳区城环城汽配城 4 号楼 101-105 号
电话：010-51102105
13051325857
邮箱：Tong Peng Li Da@vip.sina.com
网址：Http：//tpld.b2b.hc360.com

北京峰菱通盛东南汽配商行

主营:东南汽车、菱帅、蓝瑟、戈蓝

地址：朝阳区南四环城环城汽配城 3 号楼 82 号
电话：010-51102852
13910528032
传真：010-51102852

北京三源通达汽车配件销售中心

主营：上海通用系列

地址：朝阳区城环城国际汽配城 17 号楼 511 号
电话：010-51102511
13910192235
传真：010- 52202511
邮箱:BJHGB123@sina.com

北京红泰兴发商贸有限公司

主营：广州本田、东风本田、日本本田

地址：朝阳区南四环东路 69 号城环城汽配城 2 号楼 43-45 号
电话：010-51102043/45
52202043/45
13901245936
传真：010-52202045

北京立信汽配销售中心

主营：大众、奥迪、拆车件

地址：北京市朝阳区南四环东路 69 号城环城国际汽配城 8 号楼 235 号
电话：010-51102235　52202235
　　　52202824
传真：010-52202235

北京市蓝宏兴盛商贸有限公司

主营：日产尼桑、日本百乐牌代理商、兼营本田、批发日本系刹车片

地址：城环城国际汽配城 11 号楼 370 号
电话：010-51102370
　　　52202370
传真：010-51102370

北京鑫燕德商贸有限公司

主营：一汽大众：捷达系列、宝来系列、迅腾，标致：广州标致 505，法国标致：206、307、406、607，东风标致：307、206

地址：北京市朝阳区南四环东路 69 号城环城国际汽配城 14 号楼 421-424 号
电话：010-51102422　51102424
　　　51102421
传真：010-51102423

北京迎奥通达天池商贸公司

主营：哈飞系列、佳宝系列
北斗星系列

一部：北京市城环城国际汽配城 3 楼 95-93B 号
电话：010-51102094
　　　13051353297
二部：五方天雅汽配城东五区 13-15 号
电话：010-87339505
　　　87339842

北京市利尔康汽车配件商店

主营：富康、爱丽舍、伊兰特

地址：北京市朝阳区南四环东路 69 号城环城国际汽配城 19 号楼 552C 号
电话：010-51102910
13901181513
传真：010-51102920

北京新兴愿峰达商贸有限公司

主营：三菱 V7300、V7500、V77W、欧蓝德、速跑、格蓝迪

地址：北京市朝阳区南四环东路 69 号城环城国际汽配城 12 号楼 382 号
电话：010-51102382 52202345
52202855　51102345
51102755　13801078308
传真：010-52202382
网站：www.xxyhd.com
邮箱：bjxxyhd@sina.com

北京合创安业商贸有限公司

主营:日产尼桑、郑州日产、东风日产

地址:北京市朝阳区南四环东路 69 号城 n 环城汽配城 12 号楼 391 号
电话：010-51102825　51102391
52202391　13601167870
传真：010-52202391

北京市欣宇鹏飞商贸有限公司

主营：广州本田、日本本田、东风本田全车配件及拆车件

地址:北京市朝阳区城环城国际汽配城 12 号楼 387-388 号
新件部：010-52202388
51102388
传真：010-51102795
旧件部：010-51102796
51102795
13371637933

北京盛鑫马自达汽车配件公司

主营：专营马自达

地址：北京市朝阳区南四环东路城环城国际汽配城 12 号楼 393B 号
电话：010-51102816　51102916
13801352069
传真：010-51102816

广州巨泰北京分公司

主营：球笼、方向机、减震器、弹簧、各类修包

地址：北京市朝阳区城环城国际汽配城 12 号 387-388 号
电话：010-51102730
13683675683
传真：010-52202370

北京宝德行汽配经营部

主营：三滤、机油

地址：北京市朝阳区南四环城环城汽配城 19 号楼 537 号
电话：010-51102537
13521905087

北京鑫共合世纪汽配商行

主营：一汽大众、捷达王、宝来、奥迪、中华、全车配件

地址：北京市朝阳区城环城国际汽配城 18 号楼 515 室
电话：010-51102515
51102862
13911666626
传真：010-51102862

上海别克汽车配件专营专修

主营：上海别克汽车专业维修

上海别克汽车配件专营

地址：北京市朝阳区城环城国际汽配城 21 楼 662 号

电话：010-51102662

52202662

13701208316

传真：010-52202262

赛 日 汽 配

主营：奔驰、宝马

地址：北京朝阳区南四环东路 69 号城环城国际汽配城 19 号楼 498-499 号

电话：010-51102997

52202997

13910665569

13240279555

传真：010-52202997

恒 鹏 伟 业 汽 配

主营：本田、飞度、东风本田

地址：北京朝阳区南四环东路 69 号城环城国际汽配城 17 号楼 503B、505 号

电话：010-52202505

51102504

51102505

13801292073

传真：010-52202504

北京奔宝豪运汽配销售中心

主营：奔驰、宝马

地址：北京市朝阳区南四环东路 69 号城环城国际汽配城 17 楼 500-501 号

电话：010-51102500

13601314374

Http：//www.bjbbhy.com

北京市俊松顺汽配公司

主营:日本本田:雅阁、思域、里程、朗程，广州本田：雅阁、2.0、2.3、2.4、3.0、奥得赛、飞度，东风本田：吉普、CRV

地址:北京朝阳城环城国际汽配城 17 号楼 497 号
电话:010-51102497
13601246722
传真:010-51102497

北 京 现 代 启 程

主营:微型大全、北京现代、伊兰特、索纳塔

地址：北京市朝阳区南四环路 69 号城环城国际汽配城 11 楼 341、342 号
电话：010-51102342
52202342
小灵通：010-87074620

北京久隆顺达商贸有限公司

主营：尼桑、丰田、本田

地址：北京市朝阳区城环城国际汽配城 10 楼 336 号
电话：010-51102336
52202336
13801160908
传真：010-51102336

北 京 镜 海 汽 配

主营：奥迪

地址：北京市朝阳区城环城国际汽配城 10 楼 335 号
电话：010-51102335
13391778512

北京通美汇达汽车配件商行

主营：刹车片、刹车盘、刹车鼓

地址：五方店：北京市朝阳区五方天雅汽配城西六-21 号
电话：010-87339226　87339783
传真：010-87339226
地址：丰益桥店：北京市丰台区丰益桥汽配基地 A 区 A-1015A
电话：010-83833302　83833301
传真：010-83833302
邮箱：mgqp623@sina.com

北京通鑫源汽配中心

主营：刹车片、宝马、奔驰、法拉利

地址：北京市朝阳区南四环东路 49 号城环城汽配城 12 号楼 377 号
电话：010-51102377
13521079182
传真：010-52202377
邮箱：ZMZOOO52202377@sina.com

北京市春旺汽车配件销售有限公司

主营：刹车片、水泵、混合器、大修包

地址：北京朝阳区南四环城环城国际汽配城 12 号楼 376 号
电话：010-51102925　52202376
13910217975

鑫诚顺汽配销售中心

主营：日本、大众车系

地址：北京市朝阳区南四环东路 69 号城环城国际汽配城 19 号楼 547 号
电话：010-51102547　51102834
67661670　86879129
13601148496
13552765299

欧亚自动波箱公司

主营：自动变速箱

地址：北京朝阳区南四环东路城环城国际汽配城 19 楼 536 号
电话：010-51102536　52202536
13911565826

天信天诚汽配公司

主营：丰田、尼桑、本田、三菱、奔驰、宝马、奥迪等拆车件及新件、外观件、底盘件、大修件

地址：北京朝阳区城环城汽配城 19 楼 557 号
电话：010-51102557　52202557
13341138299

北京市磊城鑫盛汽配销售中心

主营：美国配件、雪佛兰系列、欧宝系列、别克系列、赛欧系列

地址：北京市朝阳区南四环东路城环城汽配城 19 号楼 546 号
电话：010-52202546　13501134478
传真：010-51102546

北京瑞鑫达汽配商贸有限公司

主营：捷达、捷达王、04 款捷达、桑塔纳桑塔纳 2000、超人、全车配件代理：水泵、下支臂、机滤、汽滤、雨刷片、继电器、泵芯、氧传感器、电子扇、水箱等

地址：北京市朝阳区南四环东路 69 号城环城国际汽配城 19 号楼 543A/543B
电话：010-51102827　13718716878
传真：010-51102543

北京鑫鑫越宏汽车配件中心

主营：日本车系：丰田尼桑、三菱、本田、广本 2.3、2.4、马自达、奥迪

地址：北京朝阳区城环城汽配城 11 楼 365、366 号

电话：010-51102365　51102366

52202365　52202366

13701053081　13031198055

传真：010-52202366

北京鲁慧兴达汽配中心

主营：吉利、华普、北斗星、爱迪尔、夏利

地址：朝阳区城外城 20 号楼 620 号

电话：010- 51102620

52202620

13520662457

北京振悦顺通别克零部件

主营：别克系列、君威、世纪、GL8 商务车、赛欧、凯越

地址：北京市朝阳区南四环东路 69 号城环城国际汽配城 11 号楼 369 号

电话：010-51102369　52202369

81680257　13701241261

传真：010-52202369

北京鑫晓艺锋商贸中心

主营：玛瑞利、德尔福、摩托罗拉、博世、西门子、日本电装、各种系统电喷配件专业批发

地址：北京市朝阳区城环城国际汽配城 21 楼 707 号

电话：010-52202707

13801233343

传真：010-52202476

邮箱：xxyf1180@sina.com

君 凤 聚 汽 车 装 饰

主营:音响、防盗、美容

地址:北京市朝阳区城环城国际汽配城 21 号楼 649-650 号

电话：010-51102649
51102650
13071151089

北京迅捷轮胎轮圈公司

主营：轮胎轮圈

地址：十里河店：朝阳区十里河汽配城四区西 7-8 号

电话：010-87684169　67629486

地址：城外城店：朝阳区城环城国际汽配城 19 号楼 538 号

电话：010-51102538　52202538
13488819766

地址：小武基店：小武基桥西十里河汽配城新区 B 区 171-173 号

电话：010-52019205　52019206

http：//shot33493249.taobao.com/

北京崇江利天汽车配件销售中心

主营：丰田考斯特、丰田吉普、威驰、花冠、皇冠等

地址：北京市朝阳区南四环城环城国际汽配城 11 楼 355 号

电话：010-51102355
52202355
13701289003

传真：010-51102355

邮箱:bjcjlt@163.com

北京美旺顺汽配商行

主营：美国汽车配件、福特、通用、雪佛兰、GM

地址：北京朝阳区城环城国际汽配城 5 号楼 151 号

电话：010-52202151　51102151
13910765951　13910183899

北京市永德利顺汽配商行

主营：一汽马自达、海南马自达、进口拆车件

地址：朝阳区南四环东路 69 号城环城国际汽配城 9 楼 285 号
电话：010-51102749
87421083
13371767530
传真：010-51102749

北京永立合顺汽配

主营：起动机、发电机、空调泵、空调配件

地址：朝阳区五方天雅汽配城西四区 08－10 号
电话：010-87339352
13501064169

北京鑫兆丰业汽车配件经营部

主营：斯柯达、宝莱

地址：朝阳五方天雅汽配城西 3-23-27
电话：010-87339619
13901192776
邮箱:billzhang2776@sina.com

北 京 辛 盛 然 汽 配

主营：福特：蒙迪欧、嘉年华、翼虎

地址：北京市朝阳区五方天雅汽配城西四区 21 号
电话：010-87330248
13801034748
邮箱:hukai586@sina.com

北京海达鑫源汽车配件销售中心

主营：进口拆车件、本田专营

地址：朝阳区南四环城环城国际汽配城19楼533A
电话：010-51102533　52202533
　　13910281107　13011287428

北京联襄汽车轴销售有限公司

主营：汽车轴承、汽车油封

地址：北京市朝阳区南四环东路69号城环城国际汽配城19楼531号
电话：010-51102530/31
　　13901189287
传真：010-51102531
邮箱:lixing615521@163.com

北京鑫鑫胜达汽车配件销售中心

主营：丰田、尼桑、三菱、本田

地址：北京市朝阳区南四环东路69号城环城国际汽配城19号楼550号
电话：010-52202987　13161329789
　　邮箱:Panhui-8888@126.com

北京祥贵发商贸有限公司

主营：丰田、本田、尼桑

地址：北京市朝阳区南四环东路城环城国际汽配城19号楼551号
电话：010-51102551　52202551
　　13801153441

北京鑫瑞奇强汽车配件商贸有限公司

主营：本单位是专业经营奇瑞汽车配件的批发、零售，主要是以开发制造、销售奇瑞系列底盘件及覆盖件

地址：北京市城环城国际汽配城 14 号楼 411-412 号
电话：010-51102411　51102412　52202412　13501153842
邮箱：Zw-400@sina.com

北京俊翔利达汽车配件公司

主营：本田、三菱纯正配件、进口拆车件大全

地址：北京朝阳区南四环东路 69 号城环城国际汽配城 20 号楼 626 号
电话：010-51102774　13146332363
传真：010-51102774
邮箱：gdzhujie@163.com

北京峰源鑫顺汽车配件中心

NISSAN

主营：丰田、本田、尼桑、三菱、纯正配件、进口拆车件、外观件、发动机、变速箱、减振器、球笼、半轴、汽油泵

地址：北京朝阳区南四环东路 69 号城环城国际汽配城三号楼 92-93 号
电话：010-51102092　51102093　13801088097
传真：010-52202093

北京祺顺嘉和商贸有限公司

主营：凯迪 CTS、SRX 、福特冀虎、雪佛兰开拓者、悍马、林肯领航员
兼营：上海别克、长安福特等通用、福特配件，代理美各款车零件、急件

地址：朝阳区五方天雅汽配城东 6 区 01
电话：010-87330470　87330472　87330475　13501111319

北 京 兴 宝 路 汽 配

主营：宝来、捷达王、捷达、2000、3000、奥迪、B5、超人

地址：北京市朝阳区五方天雅汽配城东6-33号
电话：010-87339926
13910229917

北京鑫华剑汽车配件销售中心

主营：韩国大宇、上海别克、凯越、HRV、雪佛兰、景程、乐骋、斯帕克

地址：北京市朝阳区五方天雅汽配城东6-22号
电话：010-87330684　87330110
13717748146

北京东昌鹏汽车配件经销部

主营：法国雷诺

地址：北京市朝阳区五方天雅汽配城配西4-01号
电话：010-87339849
13601066610

北京市宏盛鹏翔汽配公司

主营：桑塔纳、捷达王、时代超人、04捷达、3000型、奥迪、帕萨特、红旗、宝莱、高尔夫
兼营：大众奥迪拆车件

地址：北京市朝阳区五方天雅汽配城西4区165号
电话：010-87339628　87339145
13161500301

北京市京顺昌达汽配

主营：羚羊雨燕

地址：北京市朝阳区五方天雅汽配城西 4 区 29 号

电话：010-87339688

13522590019

北京海虹三和科贸有限公司

主营：现代系列、大宇系列、起亚系列、双龙系列，批发、零售急件，代订各种韩国汽车配件

地址：北京市朝阳区五方天雅汽配城东 5-17

电话：010-87330355　87339804

87330356　87339814

13641376505

邮箱:hanjunxi@hanmail.net

北京顺成美隆昌（同利）

主营：福特、通用、克莱斯勒、天霸、别克、道奇、林肯、科西佳、公羊、水星、卡迪、太阳舞、风之星、子弹头、君王

地址：北京市朝阳区五方天雅汽配城东四 01 号

电话：010-87339475　87339702

87330025　86719183

13801284893　13391650989

北京天兴恒运商贸有限公司

主营：华泰现代、特拉卡、圣达菲、吉田、双龙、奔驰面包、大宇主席、上海汇众、依斯塔纳、北京现代、索纳塔、伊兰特、冠军火花塞

地址：北京市朝阳区五方天雅汽配城东 3-48 号

电话：010-87339258

13071171019

北京市盛剑晨星汽配经营部

主营：上海大众、一汽大众、全车配件

地址：北京市朝阳区五方天雅汽配城东 5 区 01 号
电话：010-87339907　87339289
13601265235

北京正大汽车配件公司

主营：专业批发北京现代配件

地址：北京市朝阳区五方天雅汽配城东 4-09、11、13 号
电话：010-87339230　87339231
13901075696

北京五方盛兴商贸有限公司

主营：韩国、欧美、日本、国产各车系发电机、起动机、空调压缩机及相关配件

地址：北京市朝阳区五方天雅汽配城东 3 区 22-26 号
电话：010-87339649　13661204499
邮箱:xinshanhaida@yahoo. com.cn

北京华天世纪

主营：北京现代、索纳塔、伊兰特、途胜、御翔、雅绅特

地址：北京朝阳区五方天雅汽配城东 3 区 25-27 号
电话：010-87339491　87339492
13501035351

北京华韩恒业商贸有限公司

主营：韩国车系：起亚、现代、代理批发韩国 Mobis 配件

地址：北京市朝阳区五方天汽配城东 7-42 号
电话：010—879339639　13521232299
邮箱:autocar68@hotmail.com

北京先成恒业汽配销售有限公司

主营：桑塔纳 2000、时代超人、捷达纯正部品。天津一汽、夏利，绅雅、N3 哈飞中意、民意及横向产品、厂家直销、专业批发。

地址：北京市朝阳区五方天汽配城东四-8 号
电话：010-87339877　87339319
13701017483

北京瑞艳达汽配

主营：桑塔纳（2000 、3000 ）、帕萨特、捷达王、捷达、波罗、高尔、宝来

地址：北京市朝阳区五方天雅汽配城西 4-21 号
电话；010-87330683　13120434574

北京隆祥汽配公司

主营：牡丹、红叶、燕京、2020、212、130、1040、一汽懈放 488、跃进小老虎、朝柴、杨柴、云内 4100、江淮 JAC：时代轻卡、车风小霸王、喉箍卡子、电瓶配件大全

地址：北京市朝阳区五方天雅汽配城西 4-23
电话：010-87330525　87339416
13552335420

北京嘉泰丰泽汽配销售中心

主营：上海大众、高尔专营

地址：北京市朝阳区五方天雅汽配城西二区 21 号
电话：010-87330079　　87330632
13911203479

北京凌丰顺达汽车配件公司

主营：天津丰田：威驰、花冠、锐志、皇冠，广汽丰田：凯美瑞，进口丰田：凌凌传美皇冠、霸道

地址：北京市朝阳区五方天雅汽配城西 2-13、15 号
电话：010-87339689
13701197756

北京市威金利达汽车配件有限责任公司

主营：朝柴、扬柴、云内、莱动、风神、北内、增压型发动机件、新江淮、跃进、东风小霸王、多利卡、福田轻卡、捷运、奥铃、长齿、益齿、赣齿、云齿 5T97、6T46 变速箱件

地址：北京市丰台区草桥汇丰汽配市场四厅 30-31 号
电话：010-87339210
13717567878
邮箱:xushujun518@126.com

北京德龙顺达汽配经营部

主营：切诺基、大切诺基、JEEP2500、欧蓝德、三菱速跑、克莱斯勒 300C、北汽陆霸、战旗、雷驰

地址：北京市朝阳区五方天雅汽配城西 5 区-37 号
电话：010-87339546　86902918
13910328361
传真：010-87339821

北京美众嘉业商贸有限公司

主营：美国通用、萨博、雷诺、上海别克及雪佛兰配件

地址一：北京市朝阳区五方天雅汽配城西 6 区 16 号
电话：010-87330262　87330263
传真：010-87339568　邮箱:bjbftb@vip.sina.com
地址二：北京市海淀区昆明湖路 51 号西郊汽配城汽保厅 3 号
电话：010-88436609　88446947
传真：010-88454811　邮箱:mzjy@vip.163.com

北京荣顺欧美汽配商贸有限公司

主营：保时捷、陆虎、沃尔沃、捷豹

地址：北京市朝阳区五方天雅汽配城东 7-18 号
电话：010-87339229　13601154931

北京恒通立信商贸有限公司

主营：赛拉图、远舰、索兰托、狮跑、千里马、佳华

地址：北京市朝阳区五方天雅汽配城西 8-45-47 号
电话：010-87339449　87330050　13126626929

北京欣源华旗汽配

主营：南京菲亚特、英格尔、广州标致 505 配件

地址：北京市五方天雅汽配城西 8-08 号
电话：010-87339169　87339663　13601252642
传真：010-87339663

北京鹏远泰达汽配

主营：金杯海狮、福田海狮、兼营：

日本车型配件及代零发货

地址：北京市朝阳区五方天雅汽配城西
6-41-43 号
电话：010-87339511　　13371638698

北京轩锋时代汽车配件经营中心

主营：广州本田：CM4、CM5、CG5、
CF9(G)
广州飞度：GD1、GD3、GD6 全款
雅阁：CB、CD
东风本田：RD5、RD7

地址：北京市朝阳区五方天雅汽配城东
2-28、30 号
电话：010-87330432　87330433
13366103344

大众轿车专业保养快修服务中心

主营：上汽轿车、一汽轿车、维修
保养

地址：北京市丰台区草桥汇丰汽配城 1 厅
25 号
电话：010-51751106
13651396115

北京日宇舜安汽配商行

主营：捷达、速腾

地址：北京市丰台区草桥汇丰汽配城 1 厅
18 号
电话：010-51752645
13910897703
传真：010-51752646

东豪滤清器北京总代理

主营：工程机三滤大全、各种滤清器齐全、定做各种异型滤芯、胶条、油管、车门条

地址：北京市丰台区草桥汇丰汽配城 4 排 4 号
电话：010-51751708
13391599360

北京胜达汽配经营部

主营：北京现代、伊兰特、索纳塔、途胜、雅绅特

地址：北京丰台区草桥汇丰汽配市场 3 厅 6、7 号
电话：010-51752028
13910170855

北京功斐兴汽配商行

主营：东风多利卡、三吨解放、江淮等

地址：北京市丰台区草桥汇丰汽配市场 7 厅 5 号
电话、传真：（白）010-51751321
（夜）010-67502862
13264084858

永利发汽配连锁公司

主营：金杯海狮、福田海狮、丰田海狮、北汽福田、江淮跃进、专业批发全车配件

地址：北京市朝阳区王四营五方天雅汽配城 A 区 5 号
电话：010-87330417　87330413
13801000716

北京众义良汽车配件有限公司

主营：上汽大众 2000 型、3000 型、B5，一汽大众：捷达（王）

地址：北京市朝阳区五方天雅汽配城东 4 排 18-22 号
电话：010-87339728　87330368
13911008658
传真：010-87339138

北京市齐宏恒达汽配经营中心

主营：北京现代、索纳塔、伊兰特、起亚、赛拉图全套灯具；倒车镜、消音器、保险杠等覆盖件

地址：北京市朝阳区王四营五方天雅汽配城西 8 区 41 号
电话：010-87330144　87339413
13701323390
传真：010-87339413

北京宏伟光大汽车配件销售中心

主营：奥迪 A6、B5、捷达、宝来、自动变速箱零配件

地址：北京朝阳区五方天雅汽配城西五 33 号
电话：010-87339502　87339703
13051099448
传真：010-87339703

北京宏源享源汽车配件经营中心

主营：现代、大宇、起亚；批发零售、代订快件

地址：北京市朝阳区五方天雅西五区 05-07 号
电话：010-87339171
13126655727

北京诚信威达商贸中心

主营：批发：长城、壳牌、美孚、加德士、埃索各种进口国产润滑油等；风帆、德尔福、AC、LK、长青、GMG等各种蓄电池

地址：北京市朝阳区五方天雅汽配城西6排02号
电话：010-87339160　87339790
13552728256
13161374998

北京金亿骏马汽配经营部

主营：TOYOTA：2700、3400、4500、4700、FJ80、FZJ80、HZJ80、HDJ80、FZJ100、UZJ100、HZJ105、HDJ105、RJ70、2L-T；NISSAN：Y60/TB42、TD42、Y61/TB42、TD42、4800、4W21、TD27、RD28；ISUZU：UBS17/4ZE1、UBS25/6VD1、4JG2、C240、4ZD1；MITSUBISHI：V32、V31、V33、V45、V43、4D56、4D68

地址：北京市朝阳区王四营乡五方天雅汽配城东7-36号
电话：010-87330021　13910846986
传真：010-87330327

北京市六六顺达商行

主营：东风雪铁龙（富康爱丽舍、毕加索、赛纳）、东风标志（307、206）

地址：一部：北京市五方天雅汽配城东7区45-47号
电话：010-87330334　87339788
传真：010-87330446
地址：二部：北京市朝阳区小武基桥西小武基汽配新区C15号
电话：010-52019148　13910984902

北京市朝阳区佳泰贸易公司

主营：北京现代、瑞风、圣达菲、赛拉图、途胜

地址：北京市朝阳区五方天雅汽配城东7区55号
电话：010-87339216　13901116713
传真：010-87330116
邮箱：jiatai2003g.t@mail.china.com.cn

北京富源之星汽车配件

主营:切诺基、大切诺基、2500、北京现代、伊兰特、索纳塔

地址：北京市朝阳区五方天雅汽配城东区7-53号
电话：010-87339694　87339092
13520065917

北京军露谊三滤大全

主营：三滤大全、润滑油、汽车彩条

地址：北京市朝阳区五方天雅汽配城东7区30号
电话：010-87339105　85149320
13439191788

北京永昌基业

主营：各种车型马达、发电机、离合器片

地址一：北京市丰台区草桥东路汇丰汽配城4厅12号
电话：010-51751765　13031003393
地址二：北京市海淀区西郊汽配城国产厅G区06
电话：89168182　13683620990
小灵通：010-81986777

北京天鸿和亿汽车配件有限公司

主营：1、各种汽车皮带、汽油泵、氙气大灯、大量批发（诚征代理商加盟）

2、修理厂专修大众、钣金喷漆、代办保险、汽车救援

地址:北京市丰台区草桥汇丰汽配城2厅13号
电话：010-51751070　13311555233

北京可耐力汽保设备商行

主修：可田、日野、可耐力、风炮、风板、美国英格索兰黄油机及进口德米特、皇冠黄油机、百洁利清洗机、空压机、马攀机、平衡机、工具

地址：北京市丰台区草桥东路 27 号草桥汇丰汽配城 6 厅 26 号
电话：010-51751051　　13601268593

北京汇丰国泰汽车零部件有限公司

主营：专业批发、北京现代、索纳塔、伊兰特、途胜、御翔

地址：北京市丰台区草桥汇丰汽配城 2 厅 17、18、19 号
电话：010-51751885/86/87　　13911656262
传真：010-51751889

北京启星智泽三元催化器有限公司

主营：各种车型汽车消声器、三元催化器

地址：北京市朝阳区王四营乡五方天雅汽配城西 8-65 号
电话：010-87339164　　13910814129
邮箱:qx22@hc360.com.cn

北京承远汽配公司兼汽修

主营（修）：奥迪、帕萨特、宝来、原车件及大量进口拆车件（大众、奥迪车型）

地址：北京市朝阳区五方天雅汽配城西 6 区-40 号
电话：010-87330331/0332　　13371681434

京广鑫源汽配销售中心

主营：南京菲特、海马配件,各种车型皮带、油封

地址：北京市朝阳区王四营乡五方天雅汽配城西 6-35
电话：010-87330101　　15910832050
传真：010-87330101

北京铃通伟业商贸有限公司

主营：江铃：宝典、陆风、宝威、运霸、凯运、JMC 货车、全顺商务车
庆铃：100P、600P、皮卡、多功能车、面包、商务货车、重型车
五十铃：货车、搅拌车、叉车、挖掘机、三菱搅拌车、中巴、面包、的士头、拖车、德曼搅拌车

地址：北京市朝阳区五方天雅汽配城西 7-13
电话：010-87339057　13621138896
邮箱：isuzu885@sohu.com

北京太捷广达商贸有限公司

主营：大切诺基：6 缸 4.0、8 缸 4.7、自由人、牧马人、捷龙、公羊、太阳舞、君王、彩虹、卷云、帝王、纽约客
新款：大捷龙、君王、公羊、300C

地址：北京市朝阳区王四营乡五方天雅汽配城西 8 区 50 号
电话：010-87330123　87339580　87339500
13601222156　13701137188
传真：010-87339278
邮箱：bjtjgd@vip.sina.com

盛鑫基业汽配有限公司

主营:桑塔纳、桑塔纳 2000 型、时代超人、桑塔纳 3000、帕萨特 B5、领驭、捷达、捷达王、04 款、05 款、宝来

地址：北京市草桥汇丰汽配城 1 厅 17 号
电话：010-51751992　51751993
13601325694　13391550471

北京市汇恒通汽车配件经营部

主营：AD、HQ、POLO、STN、JD、速腾、劲情、劲取

地址：北京市海淀区昆明湖南路 51 号西郊汽配城大众厅 5 厅 A 区
电话：010-88462994　88444766　13126636111
传真：010-88449517

忠诚鹏星汽车装饰

主营：设计安装汽车顶级音响、室内无尘贴名牌防膜、汽车桑拿、防盗器、排档锁

地址：北京市西郊汽配城东门左转第二间
电话：010-88459075　13901048251

双盈利达汽配

主营：尼桑专营

地址：北京市朝阳区南四环城环城汽配城 19 号楼 556 号
电话：010-67844321　51102721　13701115899

北京隆祥汽配公司

主营：牡丹、红叶、北族、燕京、2020、212、130、1041，一汽小解放 488、跃进小老虎、朝柴、扬柴、云内 4100、江淮 JAC：时代轻卡、东风多利卡、东风小霸王、喉箍卡子、电瓶配件大全

地址：朝阳区五方天雅汽配城西四区 4—23 号
电话：010-87330525　87339416　13552335420

北京兆业宏祥汽配公司

主营：东风、日产尼桑配件

地址：朝阳区五方天雅汽配城西二区 18 号

电话：010-87339638　13601135163

北京嘉瑞朋辉商贸有限公司

主营：韩国原装进口现代

地址：朝阳区五方天雅汽配城西一区 08 号

电话：010-87339176　13261693644

邮箱:jrphgp@sohu.com

北京铁龙兴盛汽配经营中心

主营：东风雪铁龙系列：富康、爱丽舍、毕加索、标致、赛纳等

地址：朝阳区五方天雅汽配城西三区 3-46 号

电话：010-87330400　13011291850

北京市顺昌达汽配

主营：羚羊、雨燕、奥拓

地址：朝阳区五方天雅汽配城西四区 09 号

电话：010-87339688

13522590019

北京博大宏远汽配

主营：汽保设备、汽车用品、汽修工具、汽车装饰

地址：北京市海淀区西郊汽配城
电话：010-88446515　　13693684658
网址：www.bdhgkj.com
E-mail:sales@bdhgkj.com

北京江秀秀格汽配部

主营：经营汽保设备

地址：北京市海淀区西郊汽配城
电话：010-88447402　　13601057829

北京富合友汽配销售有限公司

主营：专营北京现代系列：索纳塔、伊兰特、途胜、雅绅特、御翔

地址：朝阳区五方天雅汽配城东六区 48 号
电话：010-87330141　　87330142
传真：010-87330147

北京朝阳鲁联汽车维修有限公司

主修：国内外小型客车、面包车；

专长：钣金、喷漆、机修

地址：北京市朝阳区化工路大柳树路北
电话：010-67375219　　67378270
13901066459

上海秦威汽配有限公司

主营：专营上海别克全车件、别克、君威、GL8、赛欧、凯越

地址：上海市曹安路 1926 号
电话：021－59191572
59191573

上海朗堡贸易有限公司

主营：代理经销：MARELLI、DELPHI、VDO、OPTIBELT 皮带、科尔本活塞、轴条节器及链条、原厂空调电阻、GAS 机盖及行李箱、撑杆等

地址：上海陕西北路 30 弄 10 号底楼
电话：021－62725579
62725589

上海捷宇汽配

主营：长安福特、美国福特、嘉年华、蒙迪欧、福克斯、林肯、水星

地址：上海路航中路 8818 号吴中汽配城 21 幢 15 号
电话：021－54470844
54471944

上海稳臣贸易有限公司

主营:万向钱潮轴承、万向节、绍兴永固支架总成、田心牌分力轴承及主肖修理包、电瓶

地址：上海市曹安路 1926 号上海东方汽配城 6 区 1 号
电话：021-59198033

上海天祚汽车配件有限公司

主营：上海大众、一汽大众、奥迪
纯正部件、品种齐备、零件
兼容、保证质量

地址：上海市航中路 8818 号吴中汽配城
32 幢 6－8 号
电话：021－54471430
54471562

上海沪瑙商贸有限公司

主营：一汽大众、上海大众、奥迪
全系列汽车零件配件批发零
售业务代订疑难汽车零配件

地址：上海市闵行区航中路 8818 号吴中
汽配城 31 幢 23－25 号
电话：021－54473948
54474268
54474428

上海烨灵贸易有限公司

主营：专营 POLO 纯正配件

地址：上海市威海路 635 号
电话：021－62717556

上海天时汽车配件有限公司

主营：专营帕萨特、波罗、甲壳虫、
高尔、途安、纯正配件

地址：上海市闵行区航中路 8818 号吴中
汽配城 36 幢 3－4 号
电话：021－54477502
54477503

上海源滨汽配有限公司

主营：桑塔纳系列帕萨特、特约经销商 B5.1.8、1.8T、2.0、2.8T、全车配件

地址：上海市曹安路 1926 号东方汽配城 33 幢 106 室
电话：021－69190821

上海伊嘉起配商行

主营：北京现代索纳塔、伊兰特及现代跑车 COUPE（新款）

地址：上海市闵行区航中路 8818 号吴中汽配城 20 幢 10 号
电话：021－64216207

上海博涛汽配有限公司

主营：专营：上海大众、POLO、高尔、B5、全车件
兼营：上海大众系列全车钣金件

地址：上海市曹安路 1926 号东方汽配城 37 幢 104 室
电话：021－59186773

上海思语贸易有限公司

主营：全车配件、博世、联合电子、VOD、实业交通、德科电子、法雷奥、东蓉信义、小系车灯、南吉交通

地址：上海市茂北路 148 号
电话：021－32100262
62711192

上海建威汽车电器有限公司

主营：专业制造汽车整流器

地址：上海浦东新区高桥江东路 1488 弄 86 号
电话：021－58647609

上海涌源盛实业发展公司

主营：专营上海大众、配套厂配件
代理上海派克电气、金亭、
大众系列车型的全车线束、
单根线束

地址：上海市长寿路 587 号沙田大厦 1105－1106
电话：021－51082577

上海广佳汽配有限公司

主营：轿车后视镜大全、上海大众：帕萨特 B5、波罗 3000 型。一汽大众：宝来、04 款捷达王。长安福特：蒙迪欧、尼桑天籁、上海通用、别克凯越

地址：上海威海路 718 号
电话：021－62718436

上海三仁创瑞自动变速箱

主营：1、奔驰、宝马、富豪、奥迪等各车波箱维修、翻新 2、波箱维修、油格、制动带等件批发零售 3、自动波箱维修相关设备供应 4、奔驰、宝马、富豪全车新旧件

地址：上海市闵行区航中路 188 号航华汽配城 2 区 10 号
电话：021－54491672
54491673

上海百年贸易有限公司

主营：轿车和商用车、奥迪、雪铁龙、奔驰、欧宝、标志、宝马、大众汽车、菲亚特、商用柴油机、雷兰、卡特彼勒、底特律、奔驰、沃尔沃、康明斯、道依斯、斯太尔、达夫

电话：021－54436930
55033311

上海渊源起配

主营：羚羊、QQ、五菱、路宝、赛马、雨燕

地址：曹安路 1926 号东方汽配城七区别 7 号
电话：021－59185670

上海利奔商贸有限公司

主营：东风风行、江淮瑞风、利奔轴承

地址：上海市南路 2417 浦东杨高镇东起配市场 230－231 室
电话：021－50783748

上海申现韩国纯正起配

主营：韩国现代、起亚、通用大宇、双龙

地址：上海市曹安路 1926 号东方汽配城内 37 幢 071 室
电话：021－69196975
69196976

上海伊嘉汽配商行

主营：现代、索纳塔、伊兰特、现代跑车 COUPE

地址：上海市闵行区吴中路 8818 号吴中汽配城 20 幢 10 号
电话：021－64216207

上海曼诺滤清器有限公司

主营：滤清器系列（诚征代理商）

地址：上海市嘉定区马陆镇彭封路 152 号
电话：021－59104515

海拉（贸易）上海有限公司

主营：汽车空调、配件市场（诚征经销商）

地址：上海市延安东路 618 号东海商业中心 14 楼 BF1 座
电话：86－2153854088

上海嘉尔成汽车部件有限公司

主营：汽车点火线圈

地址：上海市金山区枫经工业园钱明东路 152 号
电话：021－67355555
67355000

上海地田实业有限公司

主营：润滑油系列（诚征市级经销商）

地址：上海市淮海东路 99 号恒秋大厦 17 楼 F 座
电话:021-53063999

上海豫众起配有限公司

主营：上海大众配件

地址：上海市曹安路 1926 号东方汽配城 29 幢 105 号
电话：021－69196850

上海吉恩发动机电控系统有限公司

主营：汽车改装系统、汽车加速节能器、发动机点火系统（诚征全国代理商、经销商）

地址：上海商城路 341 路 906 室
电话：021－68875479
68878835

上海骏孚机电设备有限公司

主营：发动机、驱动系统、卡车零件、空压机

地址：陕西北路 1588 号 4 路公寓 C 座 23A03 室
电话：021－62762955

上海德朗汽车零部件制造公司

主营：专业制造汽车散热器

地址：上海市松江商科技园区洋河路 58 号
电话：021-67696908

上海科力捷汽车零部件有限公司

主营：60 款电力燃油泵及供油系统

地址：上海市大渡河路 1383 梅川汽配市场内 70 号
电话：021－52838598

上海凯萝空调有限公司

主营：凯罗顶置汽车空调

地址：长江南路 180 号
电话：021-66054345

上海豫新世通汽车空调有限公司

主营：上汽通用王菱之光系列、空调系统通用王菱大发系列、空调系统昌河北斗星系列、空调系统昌河 Ideal 系列空调系统

地址：上海市浦东路新区王桥路 299 号
电话：021-58388267
58388280

上海奥孚润滑油有限公司

主营：润滑油动力系列

地址：上海市曹安路1926号29幢201-201室
电话：021-59185988

上海佳士特润滑油有限公司

主营：专业生产工业润滑油汽车润滑油摩托车润滑油及脂防冻液、汽车护理用品

地址：上海金山岖枫经思古路35号
电话：86-21-57353037

上海万宙轴承有限公司

主营：主要产品有上海大交通（工程车）全车轴承和各种汽车全呈轴承工业机械轴承和合佳动轴万向节等

地址：上海市场中路 1800 号西 首 1907号
电话：021-28342099
5688715

天纳克汽车工业（上海）有限公司

主营：汽车减振器

地址：上海市延安中路841号东方海外大厦2507室
电话：021-62893295

上海福协经贸有限公司

主营：上海大众、北京现代

地址：上海市东方汽配城 30 幢 106
电话：021-59190388/0988
591907255/7266

上海卓昌实业有限公司

主营：EST 减震器（诚征特约经销商）

地址：上海市松江区泖港镇中大街 90 号
电话：021-54475905

上海中震汽车配件有限公司

主营：天津丰田锐志皇冠、威尽职尽责花冠全车系列、配件天津一汽特锐全车系列配件

地址：上海市威海路 350 号
电话：021-32170489
62182764

上海康杰汽车零部件有限责任公司

主营：专业经销济南汽车配件厂生产的主机配套各类号型进排气门

地址：上海市大渡河路 1383 号 241 室
电话：021-52815697

天纳克汽车工业（上海）有限公司

主营：蒙诺（万里路）汽车减振器

地址：上海市延安井路 841 号东方海外大厦 2507 室
电话：021-62893295
传真：021-62893294

上海可立洁汽车配件有限公司

主营：滤清器、汽车配件

地址：上海市松江区车墩镇汇桥村汇北路 58 号
电话：021-52194768
57602690

上海皇菲汽配有限公司

主营：制动盘、驶福莱刹车片

地址：上海市航中路 8808 号 21 幢 23-24 号
电话：021-54479328

上海华锐汽配有限公司

主营：DENSO 产品经销 KOYO 水箱产品经销、丰田纯牌零件天津本田纯牌零件

地址：上海市航中路 8818 号吴中汽配城 15 幢 9-10 号
电话：021-54475196
54475192
62531924

上海乐丰高速机车摩擦材料化公司

主营：专业生产国产进口轿车、货车、微型车、工程机械等、发动机大修包气缸垫全车密封垫鱼车油封等管产品

地址：上海市嘉定区外冈镇外冈工业区恒飞路 58 号
电话：021-59587251

上海督得丝贸易有限公司

主营：华晨金杯中华、东南汽车、沈阳金杯海狮轻客、东风风行、奇瑞东方之子、湖南长丰猎豹、弗列加汽车滤清器

地址：上海市中山北路 2918 号 2 号楼 2409 室
电话：021-51272898
27404905

上海塞可斯贸易有限公司

主营：HEPO 气门、TOTO 活塞

地址：上海市曹安商务中心定边路 377 弄 39 号楼
电话：021-61407515
61407516

合力汽车自动手动变速箱

主营：经营变速箱总成及零配件承接变速箱维修

地址：上海市闵街上区航中路 8808 号 35 幢
电话：020-64218749

上海策马工贸有限公司

主营：电控燃烧油泵系列、活塞系列、汽车氧传感器系列、气门系列、轿车减震器系列

地址：上海曹安路 1926 号 38 幢 102 号
电话：021-69195446

上海东灿汽配有限公司

主营：专业生产各种车型自动波箱滤网

地址：上海市青浦区北公路 9518 号
电话：021-59705260
59705266

上海美鹏企业发展有限公司

主营：上海大众、桑塔纳 3000 型、时代超人

地址：上海市曹安路 1926 号东方汽配城 20 幢 101 室
电话：021-69196819
69196829

上海鹏翔汽车零部件有限公司

主营：鹏翔制造各种号型汽油滤清器

地址：上海市奉贤区青村镇姚家村 10 组 1002 号
电话：021-5766271
13917158448

美鑫汽配商行

主营：专营雪佛兰开拓者 SUV 吉普、S10 皮卡 SPRK 乐骋 AVEO

地址：广东省佛山市禅城区文华北路 26 号首层 2 号铺
电话：0757-85185086
82737166

广州明星汽配有限公司

主营：代办全国发货专营各国进口拆车件全车件、丰田、日产、本田、马自达、三菱、美国奔驰、宝马全车饰件

地址：广州市白云大道北 78 号湛隆汽配城西区 A13 档
电话：020-86339259
86339377

广州果丰散热器制造厂

主营：制造各类型水箱散热器

地址：广州市白云区太和镇军民路 111 号三石湖部队内 M 座
电话：008620-87424031

广州明达配

主营：OMEGA、VECTEA、ASTRA、CORSA、ZAFIRA、AGILA 等全车新件拆车件，代订欧宝海外急件 7-15 天到货

地址：广州市广源东路 163 号
电话：020-87630176

广州市德众汽配

主营：奥迪、途锐

地址：广州市永福路 45 号永福汽配城楼
电话：020-87707002
87725851

广州鑫驰汽车配件公司

主营：奔驰全车系列零配件

地址：广州市永福路 45 号隆福汽配城 C 区 60 号
电话：86-020-82507281

锦彤汽配

主营：专营奔驰 W220 全车件，代，奔驰 W163 保时捷、美洲豹、陆虎配件

地址：广园东路坑口 18 号
电话：020-37220660
37220661

广州东升贸易有限公司

主营：宝马、富豪汽车配件

地址：广州市恒福路 309 号
电话：020-83581454

德道汽配贸易商行

主营：专营美国越野路虎、奔驰纯正厂零部件，兼营欧洲各车纯牌零件代理期贷急件

地址：广州恒福路自编 63 号（利远对面）
电话：020-83578845
83578846
88142662

广州市博星泊配贸易有限公司

主营：富豪、奔驰、宝马、折车件、S80 全车件

地址：新广从路 78 号陈田湛隆汽配城西区 A12 档
电话：020-86339376
36241713

广州成龙汽车油封专卖

主营：油封、ENT 油封全国独家销售、AOLIS 油封特约经销

地址：广州花都区公益大道华侨商业城 6 幢之 3-14
电话：020-86979713

广州市明通汽配行

主营：奔驰、宝马轿车零件、奔驰重型车原厂纯正零件

地址：广州市永福路 45 号利远广场首层 A018 号
电话：0210-83490821
83490362

肇庆缸套广州中汇经营部

主营：各种规格型号汽车缸套、缸套组件

地址：广州市三元里大道 715 号三元里汽配城 1 区 A01 档
电话：020-36332511
86630517

广州市德星汽配

主营：奔驰、宝马零配件开发出口贸易业务、另办全国各地批发零售业务

地址：广州市永福汽配城 C35 档
电话：020-87201305

大 洋 旧 件

主营：专业旧件

地址：广州市永福路金永福汽配城 14 栋 1 档
电话：020-37221313
88542444

广州隆辉汽配有限公司

主营：奔驰、宝马全车配件，代定急件、代理期货、代办托运

地址：广州市永福路 45 号利远广场首层 A028
电话：020-83497075
61083041

广州市安荣贸易有限公司

主营：长安福特：福克斯、嘉年华、蒙迪欧，福特：天霸、维多利亚、风之星、宇宙星，林肯：城市、大陆、领航员，

地址：广州市广源东路 1735 号之-B
电话：020-37226968

海　泽

主营：长安福特、美国福特、台湾福特、德国福特、北美林肯、北美水星

地址：广州市广源东路金鸡岭 3 号军区大门西侧第 3 间
电话：020-37222
13802971791

广州市东昌汽配经营部

主营：经营车型：福特、通用、道奇、长安福特、上海别客，经营范围：车身外观内饰件系列、水箱冷凝器电子扇系列、底盘件系列、发动机件系列

地址：广州市广源东路 1840 号
电话：020-87645892
87736969

广州鸿常盛汽配经营部

主营：承接期货、长期寻求配套厂商合作，经营车型：别克：凯越、EXCELLE、HRV，雪佛兰：景程、EPICA、乐骋、AVEO，凯迪拉克：CTS、SRX

地址：广州市广源东路金鸡岭 C 栋 2 号
电话：020-37221718
020-37278863
13902289355

广州市铨盛贸易有限公司

主营：法国塞纳尔香薰精品系列、

汽车专用香薰

地址：广州市东风东路 836 号东峻广场 3 座 2005
电话：020-37610339

广州市富利康贸易有限公司

主营：神龙富康 1.36、1.4、1.6

地址:广州市永福路 45 号永福汽配城 3 号
电话:020-87708887
87715367

广州通达汽配

主营:上海别克、新世纪、GLX、GL、GS、GLB、商务车、君威、凯越、景程、雪佛兰赛欧、SL

地址：广州市广园东路 1881 号 F6-7 档
电话：020-61025866
61025966

广州市国鸣汽车配件有限公司

主营：上海别克系列

地址：广州市广园东路金永福汽配城自编 1710 号
电话：020-87741672
87741673

广州同昌利经卵贸易有限公司

主营：雪佛兰、景程、开拓者系列配件

地址：广州市广园东路金贵六街三号
电话：020-37227889

苏巴路贸易商行

主营：法国雷诺系列全车配件、日本富士系列、全车配件

地址：广州市广源东路西坑直街 3 号
电话：020-87643496
87737319

广州艺高自动变速箱有限公司

主营：专业维修、检测自动变速箱、各类自动变速箱配件批发零售

地址：广州市新广区从路白云大道北陈汽配市场
电话：020-86190711

广州恒泰自动变速箱维修有限公司

主营：汽车自动变速箱专业维修

地址：广州市新广从汽配市场 E573-E593 号
电话：020-86395656
86394329

广州乐途汽配商行

主营：派力奥、英格尔、依维柯、新雅途、上海大众、国之鼎减震机、桑塔纳、小红旗、捷达

地址：永福路 45 号隆福汽配中心 A29 档
电话：020-61083046
33898646

宏 伟 汽 配

主营：FIAT、南京菲亚特、派力奥

地址：广州市广园东路 1848 号
电话：020-61300765
61300787

广 州 市 华 盛 汽 配

主营：风之星、探险者、俱乐部、金牛、维多利、皇冠、林肯城、林肯大陆、村民、黑豹

地址：广州市广源东路新致友分场 G09
电话：020-37366105
37366106

广州市福润汽配贸易公司

主营：蒙迪欧、嘉年华、福克斯、翼虎、维多利亚、天霸、金牛、风之星、宇宙星、俱乐部、探险者、福特跑车、大陆、林肯吉普、村民、大侯爵、黑貂

地址：广州市广园东路 1881 号致友汽配分声场 F 栋 12 号
电话：020-37366123
37366319

广州市凯程汽车配件公司

主营：蒙迪欧、福克斯、嘉年华、水星村民、老款北美车系列

地址：广州市广源东路 1881 号致友汽配城分场 F05 档
电话：020-37366235
37366236

广州新晨汽配商行

主营：蒙迪欧、嘉年华、福克斯、覆盖件、底盘件、易损件等专业厂配件

地址：广州市广园东路 1839 号首层新晨汽配
电话：020-87635214
57712805

广州朝隆汽配商行

主营：奥迪、奥迪各系列轿车、德国原厂配件

地址：广州市恒福路隆福汽配城 D 区 100 档
电话：020-83497006
83497007

广州奥德汽配有限公司

主营：奥迪系列、大众系列、红旗系列、柴油系列

地址：广州市广源牛路 283 号湛隆汽配交易中心 A202-203 号
电话：020-86562505
86562669

广州市春隆汽车配件有限公司

主营：批发：奥迪 C5、A6、C6、A6L 配件

地址：广州市白云大道南 98 号湛隆汽配城 B401-403 档
电话：020-22257242
22257228

广州市腾奥汽配

主营：奥迪、帕萨特、高尔夫、捷达王、超人、经营各种车型、压缩机、空调管线、配件

地址：广州市广源东路螺墩二街 3 号 202 室
电话：020-37228432
13711291176
13711291196

壬利商行

主营：各种车型消声器、“MB”减震器、弹簧

地址：广州市广源东路金永福汽配城 15 栋 39 号
电话：020-87740516
37300851

诚品汽配商行

主营：诚征全国省级代理商、JRC 上下悬挂、侧拉杆、底盘、零件、NUK 水泵、风扇离合器 AL 引擎大修包

地址：广州白云区大金钟路
电话：020-86434727
13560066076

恒昇行有限公司

主营：W220、W221、W164、W219、W171

地址：广州市广园东路 1881 号致友汽配城分场
电话：020-37366076
37366305
37366307

龙圣制动贸易

主营：进口国产汽车刹车盘、刹车鼓

地址：广州市永福路 101 号之二大院 8 档
电话：020-85173662
85170078

广州市白云区君汽配经营部

主营：承接各种刹车片、离合器

地址：广源中路万里汽配广场 A-25 号
电话：020-86391330
56558652

广州乾贝贸易有限公司

主营：花冠、皇冠、锐志、佳美 2.4

地址：广州市广园东路 1881 号致友汽配城分场 A02 档
电话：020-37366078
37366178

广州市谊和汽配有限公司

主营：电装系列水箱、火花塞、马达、三格、喇叭、传感器、发电机调试、爱迅系列、水泵、压板、离合片、中央发条系列、弹簧、手刹线、安全牌球等

地址：广州市永福路 45 号
电话：020-835889123

广州顺亭汽车配件贸易有限公司

主营：丰田纯牌特价零配件、纯正机油

地址：广州市广园东路 1925 号
电话：020-87706635
87707133
87702633

广州新通利汽配公司

主营：吉普 4500、4700、3400、2700、4000、LX470、佳美 2.0、2.2、2.4、大霸王、皇冠、亚洲龙、中巴、花冠、威驰

地址：广州市广园东路 1881 号新致友汽配分场 A27 档
电话：020-37366452
37366456

广州丰佳汽配行

主营：丰田配件、丰田吉普、佳美、皇冠、凌志、大霸王、小霸王、亚洲龙、海狮、天津丰田、威驰、花冠

地址：广州广园东路 1881 号致友汽配分场 B20
电话：020-37366025
37366026
37366027

广州市新益汽车配件经营部

主营：丰田、本田、日产、三菱、全年配件

地址：广州市天河区产源东路金贵一街
电话：020-37228713
37226339

广州市飞毛腿汽配有限公司

主营：丰田 V31、V32、V33、日本原厂发动机大修、气缸床、日本 OEM、V31 方向机助力泵

地址：广州市广源路 1735 号
电话：020-37227797

丽日汽配贸易商行

主营：丰田、日产、三菱、马自达、得力卡、三星、外贸配件、大客车配件

地址：广州市广园东路致友汽配城 D24 档
电话：020-37221197
37222985

广州憬盛汽车零件商行

主营：ACV 号全车 OEM 件

地址：广州市永福路 15 号隆福汽配中心 C 区 232-233
电话：020-83504448
83501309

广州美鸿汽车配件商行

主营：上海别克系列配件、美国通用系列配件

地址：广州市广源东路 1931 号之二
电话：020-87748184
87709613

广州奕泰汽配贸易有限公司

主营：美国通用汽车公司：雪佛兰、凯迪拉克、别克、庞帝克等系列

地址：广州市广源东路 1558 号临 52 号房
电话：020-37223959
37221478

广州鸿祥汽车配件公司

主营：上海别克系列

地址：广州市广源东路西坑直街 3 号
电话：020-87796181
87717986

广州昇源汽配

主营：上海别克、美款别克、雪佛兰、赛欧、景程、凯越、乐骋、QQ 凯迪拉克

地址：广州市广源东路 1822 号
电话：13316030132
13544528765

广州市宝狮机电贸易有限公司

主营：车型：三江、雪诺、风景、

梅甘娜配件

地址：广州市广园中路 633 号
电话：020-36501600
36501183

广州市坚峰汽配有限公司

主营：三菱纯正部品专卖

地址：广州广源东路 1881 号致以汽配城分场 A10 号
电话：020-37366051
37366052

吉普中心

主营：吉普车底盘件、球头、拉杆、悬挂、胶套、发动机件、大瓦、小瓦曲轴、缸盖、缸体、偏心轴

地址：广州市永福路金永福汽配城 14 栋 1 档
电话：020-87744705
87744715

广州市光祥汽配

主营：三菱吉普 OEM 配套件

地址：广州市广园东路金贵东街 1 号 206
电话：020-37228387
37228415

广州市天河浩洋汽配贸易商行

主营：丰田、三菱、日产、本田、底盘、发动机零件

地址：广州市广园东路 1540 号致友汽配城 D 栋 20 楼
电话：020-37221899
37221001

广州枫华汽配有限公司

主营：公爵 SY31、Y31、千里马 130、巴宁 GCZZ、途乐 Y60、Y61、皮卡 D21、D22、风神系列、风度 A31、A31、A33、

地址：广州市广园东路金鸡岭
电话：020-37220770
37220095

广州市湛峰汽车配件有限公司

主营：日产纯正配件

地址：广州市广源东路 1881 号致友汽配城分场 D13
电话：020-37366130
37366132

广州鑫隆盛汽配商贸有限公司

主营：各种车型台湾、日本专业厂大修件、底盘件

地址：广州市广源东路 8-5 号
电话：020-37223320
37222937

广州市东汇汽车配件公司

主营：东风日产、天籁、颐达、阳光、风神蓝鸟、日产尼桑、风度、公爵、奇骏、途乐无限

地址：广州永福路隆福汽配中心 B 区 122 号
电话：020-83495116

广州万通汽配件有限公司

主营：日本马汽车配件、海南马自达汽车配件、一汽马自达汽车配件

地址：广州市园东路金贵二街一号
电话：020-37227292
37226844
37227310

广州冠昌汽配部

主营：专营马自达、一汽 M6、普力玛、日本原厂配件、国产配套件

地址：广州市广源东路 1881 号致友汽配分场 C18
电话：021-37366091
37366092
37366093

广州卷益马自达贸易有限公司

主营：M6、福美来、普力马等马自达系列全车件

地址：广州市广源东路 1540 号致友汽配城 K4
电话：020-37223452
37223453

广州市鑫顺贸易行

主营：拉线总汇：日本车系、三菱电机、DENSO 电装、弹簧、刹车盘、底盘胶套、KYB 方向机助力泵等产品

地址：广州市广源中路 344 号
电话：020-8655955
3659052

广州市联众汽配

主营：日本三菱专业厂

地址：广州市广源东路致友汽配城 G10 档
电话：020-37221223
37221890

广州日粤电脑公司

主营：车辆维修、零件，账务，工具，会计管理、跟踪服务、统计汇总、业务查询、基本资料、汽车美容服务、系统维护、数据自动备份及紧急删除

地址：广州市广源东路百瑞大厦 501—509 室
电话：020-87201461

卓能汽配企业

主营：日本大金压板片、KYB 避震机、TP（帝国）活塞环、大好（TAIHO）轴瓦、555 球头、日清纺（NISSINBO）刹车皮、GMB 水泵

地址：广州市永福路金永汽配城 15 幢十三号
电话：020-87711477
87795621

广州祥龙华达汽配

主营：猎豹

地址：广州市天河区广源东路临时 1839 号
电话：020-37213531
31596429
87743137

广州天河盛德兴汽配有限公司

主营：三菱、猎豹吉普全车

地址：广州市广源东路永福汽配城 15 栋 41 号
电话：020-87794881
87796639
87703010

广州市宏业汽配有限公司

主营：三菱、猎豹吉普全车配件、猎豹汽车备用件、航天三菱发动机配件、日本专业生产配件

地址：广州市广源东路 1684 之 2 号
电话：020-87748339
87637763

广州广信汽配

主营：日本日产系列、东风风神日产系列、郑州日产系列

地址：广州市广源东路西坑口新村
电话：020-87700516
87705736

广州市明智汽车配件商行

主营：风神、阳光、天籁、颐达、全车件

地址：广州市永福路西坑横巷 21 号
电话：020-87645391
80571510

广州市浩跃汽贸有限公司

主营：郑州日产帕拉丁：D21、D22、ZN6481、ZN6491、发动机：KA24、NA20、Z24

地址：广州广源东路 1881 号致友汽配城分场 C20 档
电话：020-37367277
37367123

广州市日志汽车配件有限公司

主营：尼桑、东风日产系列配件

地址：广州市永福路 45 号振兴大厦自编 A 座之 3
电话：020-87647371
87649271
87646712

广州市新动力汽配公司

主营：发动机及发动机配件

地址：广州市广源中路 283 号湛隆汽配交易中心 C4117 档
电话：020-86578992
86579116

广州汇寅商贸有限公司

主营：猎豹专用机油、猎豹三滤产品

地址：广州市永福 45 号大院隆福汽配中心 C 区四楼
电话：020-83497179
83497129

广州宏远汽配有限公司

主营：柴油、汽油吉普系列、发动机、变速箱、分动箱、底盘

地址：广州广源东路 18 号
电话：020-88506076
87724983
87728521`

广州天河菱丰汽配

主营：三菱吉普、太空车、北京速跑、欧蓝德

地址：广州市恒福路自编 51 号
电话：020-83506059
83494717
83583924

广州市鑫洲汽配有限公司

主营：三菱吉普车系列配件

地址：广州市广源东路 1540 号致友汽配城 D 幢 2 号
电话：020-37223118
37223198
37223913

广州市飞腾汽配公司

主营：猎豹飞腾 6400 系列产品推荐、猎豹 6470 系列产品推荐

地址：广州市广源西坑直街 5 号
电话：020-87634351
87634352
88585786
33381122

豹菱汽配

主营：猎豹纯正部品

地址：广州市永福路金永福汽车用品城 14 栋 44 号
电话：020-87715748
87715751

广州星展汽车配件有限公司

主营：耐磨士

地址：广州市广源东路金贵新村东街 1 号
电话：020-37226606

汉江汽配（广州）有限公司

主营：专业生产（HME）汽油泵及滤网德国 BOSCH、VDO 中国一级经销

地址：广州市天河区永福路 45 号大院广区西侧隆福汽配城 28 号
电话：020-61083019
61083020

广州龙冠汽车空调制造有限公司

主营：环保型汽车空调压缩机系列产品（诚征各地代理商）

地址：广州市增城龙冠开发区 233 号
电话：020-82755028
82757088

广州天洋汽配

主营：空调系统、电器系统、方向机系列、V73 灯具系列

地址：广州市广源东路 2149 号
电话：020-37300558

广州市正安汽配经营部

主营：各种车型铂金、铱金火花塞

地址：广州市白方大道南 98 号湛隆汽配广场 B120 号
电话：020-22257315
86589913

广州金田汽车电器

主营：汽车照明、电喇叭、汽车音响

地址：广州市广源中路 283 号湛隆汽配城 C509 号
电话：020-22257305

广州东远汽配

主营：进口本田、广州本田、东风本田系列全车配件；雅阁、飞度、奥德赛、吉普 CR-V、思域、朗程

地址：广州市永福路 45 号隆福汽配中心 D 区 108-109 档
电话：020-83490229
83490276

广东粤强模具制品厂

主营：专业生产开发：水箱框架、横梁、前后杠内骨、机盖锁等汽车钣金件

地址：广州市广源中路 208 号 B9
电话：020-86556327

利运贸易有限公司

主营：南韩雨刮片

地址：广州市永福路 48 号 15 幢 26 档
电话：020-87793225
87632200

香港华鸿贸易有限公司广州办

主营：各类皮带、时规带、日本马可雨系列、日本原厂火花塞、喇叭系列、密封胶系列、OEM 汽油泵

地址：广州市广源东路 1735 号临 73 号
电话：020-37229377
37229418

白湾全欣驻广州办事处

主营：汽车空调分段捡漏清洗工具

（诚征各省经销商）

地址：广州市机场路万里汽配广场 2 栋 11 号
电话：020-86559298

东风捷祥汽车减震器制造公司

主营：减震器

地址：广州市永福路 45 号永福汽配城 1 楼 44－45 号
电话：020-37300893
87640700

广州大昌汽配轴承

主营：各种型号汽车轴承

地址：广州市广源东路 1540 号致友汽配城 D19 号
电话：020-37220830
37223400

广州市大金锋汽配公司

主营：奥迪 A6L、C6、B7、德国原装配件

地址：广州市恒福路自编 47-49 号
电话：020-83493326
83489595

广州市西弗汽车配件有限公司

主营：SIEMENS、VDO 汽油泵芯

地址：广州市广源中路 44 号金泊大厦首层
电话：020-86390288

广州市龙盛汽配商行

主营：原厂节气门电机、原装法国膨胀伐、捷达王、柴油车、桑塔纳 2000，3000

地址：广州市白云大道南 72 号
电话：020-86569977
86569955

长源螺丝佬

主营：专业进口汽车螺丝总汇，欧美、日各车型轮胎螺丝及装车螺丝、全部原装进口

地址：广州市广源东路 1842 号
电话：020-87743260
33275073

广州龙华汽配

主营：现代面包 4100 全车配件

地址：广州市广源东路金永福汽配城 14 楼 48 档之一
电话：020-87646258

广州锦瀚汽车配件有限公司

主营：韩国现代、起亚系列汽车原厂配件

地址：广州市广源东路 219 号
电话：020-87745322
87241236

铭 轩 汽 配

主营：索纳塔 2.0、2.7、伊兰特 1.6、1.8、赛拉图

地址：广州市横枝岗路隆福汽配城侧自编 3 号
电话：020-61083226
61083227

广州景骏汽配件

主营：北京现代、索纳塔、伊兰特、酷派

地址：广州市永福路 48 号 14 幢
电话：020-87631170

广州市新昌汽车配件公司

主营：索纳塔 2.0、2.7，伊兰特 1.6、1.8，途胜、NF 御翔、起亚远舰、纯正韩国配件

地址：广州市广源路 1540 号致友汽配城 K8 档
电话：020-37278597

恒裕汽配

主营：北京现代 2.0、2.7，伊兰特 1.6、千里马 1.3、1.6，起亚远舰、欧迪玛、赛拉图、江淮瑞风

地址：广州市广源东路金贵 101 号
电话：020-37228116
37227491

广州鑫盛大汽配商行

主营：捷达王 04、05 款，柴油车、宝来、帕萨特 B5 奥迪 C5A6、一汽大众、上海大众、原装备件

地址：广州市广源中路 283 号湛隆汽配交易中心 B324-326 档
电话：020-28248016

广州世纪华奥贸易行

主营：奥迪 A6A4、长期供应奥迪原装保险杠及原装润滑油

地址：广州市白云大道南 98 号广源湛隆汽配交易中心 B425-426
电话：020-86556401
86556402

长荣行汽车配件有限公司

主营：奔驰、宝马轿车系列纯正零件、代订急件、代理期货、待办托运

地址：广州市广源东路金鸡岭 3 号 B 幢 7-8 档
电话:020-37220888
37221888

佳兴东南汽配销售中心

主营：得力卡、福利卡、菱帅、菱绅

地址：广州市永福路 16-18 号
电话：020-31509120

广州金昌汽配行

主营：东风风行、广州宝龙、江淮瑞风、东南得力卡、福利卡、菱帅

地址：广州市广源东路 1822 号永福路口
电话：020-87641229
88282846

行 力 商 店

主营：路宝、赛马、菱帅、发动机件、底盘件、装饰件、钣金件、全部齐全

地址：广州市广源路 1540 号致友汽配城 D14 档
电话：020-37221457

广州市金正达汽配

主营：比亚迪 BYDF3

地址：广州市广源路 1881 号致友汽配城分场 D26、D27
电话：020-37366020

广州市天河佳意汽车配件

主营：哈飞赛马、民意、路宝、中意、百利、松花江、长安之星、奥托、雷蒙、昌河、五菱之光、吉星、吉林、铃木、安驰

地址：广州市广源东路第 1540 号致友汽配城 K 栋 1 号
电话：020-37220252

广州市联亨汽配有限公司

主营：风云、旗云、QQ、东方之子、瑞虎

地址：广州市广源东路 1832 号
电话：020-61300169

广州市恒臻汽车配件有限公司

主营：面包车：金杯阁瑞斯、金杯、金龙、福田风景、福田爱尔发、金程、解放、商务 SUV 车、发动机

地址：广州市广源东路 1540 号致友汽配城 K10、11 档
电话：020-371223255

广州宏源汽车零件商行

主营：本田系列全车配件

地址：广州市广源东路 1880 号致友汽配城分场 D08-09 楼/广源东路 1680 号
电话：020-37366170
37366171
37366172

广州骏驰汽车零件行

主营：保时捷、积架（捷豹）、法拉利、越野路虎、玛莎拉蒂、劳斯来斯、陆虎（罗孚）、宾利（本挡特利）

地址：广州市广源东路 1881 号致友汽配城分场 C01
电话：020-37366005
37366006

广州市德奔贸易有限公司

主营：专业销售奔驰、宝马配件

地址：广州市广源东路 1881 号致友汽配城分场 D15-16 档
电话：020-37366271
37366272

广州禾丰汽配

主营：BOSCH 代理海拉、博世产品

地址：广州市广源东路金鸡岭 3 号 C 栋 01 号
电话：020-37223348
37223347

广州星达汽配贸易有限公司

主营：长安福特配件、蒙迪欧、嘉年华、福克斯、福特水、广州云豹系列

地址：广州市恒福路 261 号
电话：020-83581817
83599887
83593727

广州万达汽配经营部

主营：上海别克系列车型、新世纪、GS、GL、GLX、GL8、君威、凯越、HRV、赛欧、雪弗兰系列、雪弗兰赛欧、景程、乐骋

地址：广州市恒福路 275 号
电话：020-83574720
83574380
87578627

广州顺兴达汽配

主营：批发三菱 V31、V32、V23、V43、V73、猎豹两驱、四驱配件、欧蓝德、速跑外观件

地址：广州市广源东路金贵 5 街 1 号
电话：020-37226798
37228678

广州金超汽配公司

主营：本田系列全车配件

地址：广州市广源东路 142 号
电话：020-87724957
87724991
87798277

广州通浩汽车配件有限公司

主营：本田纯正部品

地址：广州市广源东路金鸡岭 3 号大院东侧自编 4、6 号
电话：020-87719854
37223840
37223841

广州金信汽配商行

主营：本田系列专业厂件

地址：广州市隆福汽车配件中心 A 区 36 档
电话：020-83586619
83587857
83580541

广州欧伊汽车配件商行

主营：美国 OE 品牌球笼、球头的生产与销售

地址：广州市广源东路金贵五街 1 号
电话：020-31839162
31679860

广州占发汽配

主营：底盘件、球头、悬挂、水泵、雨刮片、水箱盖、刹车皮、滤清器

地址：广州市广源东路 1881 号致友汽配分场 E11 档
电话：020-37366226
37366225

广州健合国际贸易有限公司

主营：皮带、油封

地址：广州市机场路 111 号建发广场 5 楼
电话：020-86344755
86343780

广州五峰汽配有限公司

主营：活塞

地址：广州市广源东路 1540 号致友汽配城 E28-30

电话：020-37222779

37221109

广州市滤三圣过滤器制造公司

主营：滤三圣、滤清器

地址：广州市白去区人和镇南国工业园

电话：020-86035065

广州市欧思商贸有限公司

主营：OEM 刹车钳、刹车片、特供丰田、三菱、马自达车系

地址：广州市广源东路 1815 号

电话：020-877727576

87727575

广州裕隆汽车滤清器总汇

主营：滤清器总汇（诚征全国经销商）

地址：广州市广源东路 1540 号广源致友汽配城 F13 档

电话：020-37221180

鑫龙汽车配件制造有限公司

主营：汽车减震器

地址：广州鑫龙汽贸行永福路 45 号永福汽配城二楼 77 档
电话：020-87796697
87636068

广州金日丰汽车配件有限公司

主营：各种车型减震器系列

地址：广州市恒福路淘金加油站旁（3 号门）横枝岗路（1-2 号）隆福汽配中心 C 区 61 号
电话：020-61083068
61083061

广州华鼎汽车减震器制造公司

主营：系列减震器、批发减震器油封、悬挂臂、方向减震

地址：广州市广源东路金永福汽车配件用品城 15 栋 33 号
电话：020-87702393

广州远大汽配

主营：欧、美、日、中各大车系方向机、“KTD”和“DYB”减震器、弹簧、助力泵等系列产品

地址：广州市广源东路 1823 号 106 档
电话：020-87634773
87635789

广州途畅贸易有限公司

主营：广州本田系列；雅阁 CG1、CG5、CG9、CM4、CM5、CM6；飞度：三厢 GD6、GD8、两厢 GD1、GD3；奥德赛 RA6、RB1；东风本田 CRV、RD5、RD7

地址：广州市源东路 1540 号致友汽配城 H 幢 5 号
电话：020-37222870
37223769

众 锐 汽 配

主营：途锐原厂配件

地址：广州市恒福路自编 83 号
电话：020-31522643

广州恒丰汽配有限公司

主营：途安、帕萨特、发动机大修件、易换件等、德国全车原厂配件

地址：广州市恒福路自编 293 号
电话：020-83595263
83595396

广州市博雅汽车备品有限公司

主营：宝来、奥迪、帕萨特 B5、波罗

地址：广州市永福路永福汽配城 1 楼 48 号
电话：020-37250865
37250867

广州飞鹰汽车传动带

主营：发动机配件、瑞风气门室盖垫、为咀垫

地址：广州市源东路金贵四街 5 号
电话：020-37226532

广州市途乐汽车配件有限公司

主营：广本雅阁 CG1、CG5、CF9、CM4、CM5、CM6；广本飞度、三厢 GK6、GD8、GD1、GD3；广本奥德赛 RA6、RB1；东风本田 CRV-RD5

地址：广州市广源东路 1540 号致友汽配城 K 幢 3 楼四号
电话：020-37221372
37221272

广州市盈东汽配公司

主营：广州本田、日本本田专业厂、配套厂件

地址：广州市广源东路 1933 号首层
电话：020-87642750
87642760

广州市天律汽车滤清器有限公司

主营：天律滤清器

地址：广州市永福路 45 号隆福汽配城 1 号门 7-9 号
电话：020-83497278
83497279

浙江三星胶带有限公司

主营：胶带（诚征各地区经销商）

地址：广州广源中路 283 号广源湛隆汽配交易中心 C362 档
电话：020-22257248
22257249

广州市共达商行

主营：美国特高油管、真空管、暖水管、水管、皮带

地址：广州市广源东路西坑云泉直街 2 号海垦大厦 805 室
电话：020-37251775
37251222

广州市美恒电子自动收箱公司

主营：奥迪、大众、2F 系列

地址：广州市恒福路自编 54 号
电话：020-83501833
83489005

广州众诚自动变速箱有限公司

主营：大众、奥迪全系列自动变速箱

地址：广州市永福路永福汽配城 17 号
电话：020-87746175
87745897

广州市佳源丰汽配有限公司

主营：雅阁 CB、CD，朗程：RA1、
RA3，时韵：RN3RN1，广
州本田雅阁：CG5、CG1、
CF9、CM4、CM5、CM6，
广州本田飞度 GD6

地址：广州市广源东路 1540 号致友汽配城 D2 之 1
电话：020-37221961
37220951

广州恒茂汽车配件有限公司

主营：帕萨特 B5、波罗、奥迪、高
尔夫、捷达王、桑塔纳 2000、
超人、奇瑞

地址：广州市白云大道南 64 号
电话：020-86554389
86563209

广州光洋汽车散热器有限公司

主营：专业生产汽车铝钎焊散热器、
暖风水箱、冷凝器、铅质管
式散热器和铜质散热器

地址：广州市白云区钟落潭镇茅岗广陈路 1388 号
电话：13760658888
020-87410857
87410858

东机贸易有限公司

主营：日信刹车皮、刹车系理研活
塞环、HONDA、NISSAN、
三菱、离合器压板、波箱摩
擦片、后分泵、本田配套厂
升降器、本田配套厂喇叭

地址：广州市广源中路 1540 号致友汽配城
电话：020-3722665

广州市安源汽配公司

主营：朗程：RA1、RA3，时韵：RN3RN1，广州本田雅阁：CG5、CG1、CF9、CM4、CM5、CM6，广州本田飞度GD6、GD1、GD3，雅阁 CB、

地址：广州市广源东路 1686 号
电话：020-87638891
87792210
87799769

广州广达汽车配件贸易部

主营：诚征各地空白家猛经销商；皮带、时规带、油封、轴承、皮川、皮碗等

地址：广州市广源中路 61 号万里汽配广场 C01A 号
电话：020-86576067
86579377

华 宏 汽 配

主营：上海大众：帕萨特、波罗、高尔夫、大众商务车：一汽大众：B4 高尔夫、新款高尔夫、宝東、捷达

地址：广州市永福路 79 号大院倚云楼首层
电话：020-87705207
87704273

侑和利有限公司

主营：诚征全国各地代理商；刹车总泵、分泵，离合器总泵、分泵，修理包、时规链顶

地址：广州市广源东路自编 19 号
电话：020-37222472
13602703807

广州市广达汽配

主营：吉利、自由舰（CK-1）美日之星夏利、绅雅、俊雅、

地址：广州市三元里大道 715 号三元里汽配城 B33A、B33 档
电话：020-36332689
36332336

广州金利汽配商行

主营：夏利、吉利、华普系列全车配件

地址：广州市三元里大道 715 号三元里汽配城 C06 档
电话：020-36333301
36296116

双环汽配供应站

主营：南京、奥特付佳系列压缩机、伟巴斯特系列汽车天窗

地址：广州市广园中路 283 号湛隆汽配城 B 栋 308 档
电话：020-28248030

广州旭田汽车配件有限公司

主营：减震器、水泵、弹簧

地址：广州市天河区恒福路自编 265 号
电话：020-83583900

广州市德光汽配

主营：奇瑞、风云、QQ 系列全车件

地址：广州市三元里大道 788 号吉祥汽配城 2123-2125 档
电话：020-86342393

广州金狮汽配有限公司

主营：专业批发中华轿车、奇瑞、QQ

地址：广州市广园路致友汽配城 K 栋 302 档
电话：020-37223557
37223723

广州天盛汽配经营部

主营：长安福特、蒙迪欧、嘉年华、天霸、金牛、风之星

地址：广州市广园东路金贵一街一号
电话：020-37227970
37227962

广州锦瀚汽车配件有限公司

主营：现代系列

地址：广州市广园东路 219 号
电话：020-87745322
87241236

广州龙华汽配

主营：现代全车系列

地址：广州市广园东路金永福汽配城 14 栋 48 档之一
电话：020-87646258
　　　87646259

广州市信和汽配

主营：上下球头、横拉杆球头、直拉杆、中拉杆、上下悬挂总成、十字头、水泵、汽油泵、刹车分泵、离合器分泵、离合器总泵

地址：广州市永福路 48 号 14 栋 20 档
电话：020-87631197
　　　87709197

广州市德利盛汽配

主营：依信柯、新雅途、都灵 V、派力奥、西耶那、英格尔、优尼柯

地址：广园中路 283 号湛隆汽配广场 B222
电话：020-86380646
　　　86557160

广州市金利汽配公司

主营：得利卡、富利卡、菱绅、菱帅、菱利

地址：广州市广源东路 1881 号致友汽配城分场 C09 号
电话：020-37366351

广州众祥汽配

主营：得利卡、富利卡、菱帅、菱坤、菱动、菱利、三星

地址：广州市广源东路 1881 号致友汽配城分场 A03 档
电话：020-37366201
37366202

佛山宾士汽配有限公司

主营：减震器、大金离合器、日本爱信、日本雨刮片、日本手刹线、起动机、发电机、水泵

地址：广东省佛山市佛山大桥北快捷汽配市场 B 区 14-16
电话：0757-88330188

广东省佛山奥罗拉商业电器有限公司

主营：汽车前大灯、转向灯、刹车灯、仪表灯、摩托车光源系列产品

地址：广东省佛山市张槎开发区
电话：0757-83870193

东莞意佳汽车配件有限公司

主营：专利产品、无骨雨刷

地址：广东省东莞市企石镇联兴工业园
电话：0769-86784777
86715986

广东东莞保泰器材厂

主营：滤清器系列

地址：广东省东莞市长安镇新安管理区
电话：0760-85416900

东海电光源公司

主营：各种微型电子式批示灯、汽车仪表灯、汽车音响灯泡、手电筒灯泡、设计制造各种特殊灯泡

地址：广东省东莞市企石镇
电话：0769-6786150

柯威光电科技

主营：汽车精品、LED 汽车装饰品、汽车灯泡

地址：广东省惠州市银湖大厦赛格时代广场 2149 档
电话：0752-2670683

东莞市塘厦利韬滤材制品厂

主营：发动机空气滤清器用滤材、空调滤清器用滤材、特殊用途纤维滤材、各种活性碳滤材

地址：广东东莞市塘厦镇田心村田心路 128 号
电话：0769-7938608

深圳市富邦汽车配件有限公司

主营：美国福特、天霸、林肯、水星村民系列、长安福特、嘉年华、蒙迪欧、雪佛兰子弹头、柯西加、凯迪拉克、别克系列、

地址：深圳市翼竹路 1126 号
电话：0755-25533405
25619796

深圳润达韩国汽配

主营：北京现代、索纳塔、瑞风威马、圣塔菲、万通面包车、旅行家、

地址：深圳市罗湖区桃园路机电汽配市场 813 栋西座 19 号
电话：0755-82260018

深圳富骏汽车服务有限公司

主营：南海富迪、长城汽车、中兴汽车、沈阳金杯、北汽福田、丹东曙光、天马

地址：深圳市 107 国道 252 号宝安十三区
电话：0755-27822942

星海纳韩国汽配商行

主营：现代、起亚、大宇

地址：深圳市罗湖区桃园路奥特城西座 1032 号
电话：0755-82669289

东雅汽配有限公司

主营：现代、宝来、高尔夫、叶子板、机盖

地址：汕头市衡山路世贸花园西区 HS35 号
电话：0754-8872671
2876032

珠海骏德利汽配经营部

主营：汽车零件、汽车用品

地址：珠海市香洲梅华东路 383 号
电话：0756-2525229

珠海市富士机电设备有限公司

主营：日本富士 SSUBARU 系列、森林人、翼豹

地址：珠海市香州区人民东路 600 号 5 栋 201 房
电话：0756-2511724

香港飞昊贸易有限公司

主营：各种型号汽车、工业皮带

地址：珠海市前山港昌路 933 号
电话：0756-8606563

深圳市星星之火实业有限公司

主营：串联电容式不形多极火花塞

地址：深圳市离报路 7 号天健公寓写字楼 6 楼
电话：0755-83511631

深圳市金鸿基电喷油泵有限公司

主营：各种车系电喷汽油泵式、各种车系电喷汽油成
各种车系电喷汽油泵忒滤网

地址：深圳市八卦岭工业区八卦二路旭区花园 C 栋 817B-820
电话：0755-82496958
82497008

深圳市宝安宗英实业有限公司

主营：刹车片、节油器、路障警示

地址：深圳市宝安区福永镇新和商业路
电话：0755-27303336

深圳东星汽配有限公司

主营：上海别克、GS、GL、GLX、GL8、赛欧、SL、SLX、SRV

地址：深圳市八卦路汽配市场 38 号 A
电话：0755-82448915

洋明行汽车零件（广州）

主营：奔驰系列、宝马系列、保时捷系列、ML 系列

地址：广州市天河区永福路 45 号隆福汽配中心 A 区 15－16 号
电话：020－61083088
61083099

广州市祺辉汽配有限公司

主营：长安福特、嘉年华、福克斯全车件

地址：广州市广源东路 1838 号
电话：020－61300645
61300646

道汽车空调（惠州）有限公司

主营：汽车空调（诚征各地代理商）

地址：惠州市博罗县长宁镇广惠高速罗浮山出口
电话：0752-6893000

佛山市海远东机动东配件厂

主营：刹车片、离合器片及压板

地址：平洲下西平稳工业开发区 1 号
电话：0757-81285133
81285122

天津市强鑫汽车配件有限司

主营：红岩、斯太尔、北方奔驰

地址：天津市北辰区铁东路北方汽贸园 D 区一排 19 号
电话：022－88241701

天津市日正机电产品销售中心

主营：汽车电器、车载影音、发动机、起动机、汽车电子

地址：天津市北辰区铁东路北方汽贸园 D 区一排 20 号 2
电话：022－8824015

天津市园德工程机械有限公司

主营：工程机械、装载机、整机、配件、维修

地址：天津市北辰区铁东路北方汽贸园 D 区一排 21 号
电话：022－86995255

天津市博峰汽车配件销售部

主营：解放配件

地址：天津市北辰区铁东路北方汽贸园 D 区一排 22 号
电话：022－237986

京警汽车配件经营部

主营：汽车配件

地址：天津市北辰区铁东路北方汽贸园 C 三排 8 号
电话：022－26650519

山东省宁津县汽车配件厂

主营：汽车消音器

地址：天津市北辰区铁东路北方汽贸园 C 区三排 16 号
电话：022－26735778

河西万事兴汽车涂料经营部

主营：汽车涂料

地址：天津市河西区解放南路天津市汽车配件城A区313
电话：022－88241596

天津市天凯汽车配件

主营：株洲火炬火花塞、日本进口油封、汽车封条、清洗剂

地址：天津市北辰区铁东路北方汽贸园D区一排11号
电话：022－27538050

天津市梦展汽车灯有限公司

主营：一汽系列全车灯具、倒车镜、中网、保险杠等

地址：天津市北辰区铁东路北方汽贸园 D区一排12－13号
电话：022－27612623

天津市河西区金开琦汽车空调安装服务部

主营:空调、装俱

地址：天津市河西区解放南路天津市汽车配件城A区310
电话：022－88240960

天津市北宁汽配有限公司

主营：上海大众汽车配件、北京现代车配件

地址：天津市北辰区铁东路北方汽贸园 D区一排17号
电话：022－24571303

天津市万达汽配

主营：小东风、小解放

地址：天津市北辰区铁东路北方汽贸园D区一排18号
电话：022－8631

天津河北建材配套承包公司

主营：货车配件

地址：天津市北辰区铁东路北方汽贸园 C 区一二排 36－38 号
电话：022－26623267

天津北宁区北轻汽车配件服务中心

主营：龙蟠润滑油、锂基脂、柴油

地址：天津市北辰区铁东路北方汽贸园 D 区一排 6 号
电话：022－26341310

华北农业机械集团配件公司

主营：汽车配件

地址：天津市北辰区铁东路北方汽贸园 D 区一二排 1－3 号
电话：022－26810046

天津市日柴汽车配件有限公司

主营：三菱、现代、日野、五十铃、尼桑

地址：天津市北辰区铁东路北方汽贸园 D 区一排 8 号
电话：022－88241605

天津市瑞旺汽配销售中心

主营：国产车型的离合器片、离合器压盘、刹车片

地址：天津市北辰区铁东路北方汽贸园 D 区一排 4 号
电话：022－88240115

天津市联日商贸有限公司

主营：丰田、马自达 6、本田、尼桑

地址：天津市北辰区铁东路北方汽贸园 D 区一排 9 号
电话：022－88230670

天津市天裕隆汽车配件销售中心

主营：长安、长安之星、昌河、一汽佳宝、松花江、

地址：天津市北辰区铁东路北方汽贸园 C 区三排 17-18 号四排 10 号

电话：022-26341565

天津中原滤清器销售中心

主营：滤清器

地址：天津市北辰区铁东路北方汽贸园 C 区三排 35 号

电话：022-23795400

天津市恒世昌商贸有限公司

主营：一汽、润滑油、一汽轻型车全车配件、一汽 488、498、机器配件

地址：天津市北辰区铁东路北方汽贸园 C 区一排 33 号

电话：022-26612056

天津市河西区津新都汽配商行

主营：汽车配件、蓄电池、防冻液、小包装润滑油、轮胎

地址：天津市北辰区铁东路北方汽贸园 D 区三排 2 号

电话：022-8823439

益 达 汽 配 商 行

主营：汽车配件

地址：天津市北辰区铁东路北方汽贸园 D 区三排 6 号

电话：022-86524785

天津市天裕隆汽车配件销售中心

主营：长安、长安之星、昌河、一汽佳宝、松花江、

地址：天津市北辰区铁路北方汽贸园 C 区三排 17-18 号四排 10 号

电话：022-26341565

天津市河北建材配套承包公司

主营：货车配件

地址：天津市北辰区铁东路北方汽贸园 C 区一二排 36-38 号
电话：022-26623267

天津市北辰区北转轻汽车配件服务中心

主营：原核细胞蟠润滑油、锂基脂、朝柴、北京 1041、1061、江淮、

地址：天津市北辰区铁东路北方汽贸园 D 区一排 6 号
电话：02226341310

华北农业机械集团配件公司

主营：汽车配件

地址：天津市弱辰区铁东路北方汽贸园 D 区一二排 1-3 号
电话：022-26810046

天津市日柴汽车配件有限公司

主营：三菱、现代、日野、五十铃、尼桑、

地址：天津市北辰区铁东北方汽贸园 D 区一排 8 号
电话：022-88241605

天津市瑞旺汽配销售中心

主营：国产车型、离合器片、离合器压盘、刹车片

地址：天津市北辰铁东路北方汽贸园 D 区一排 4 号
电话：022-88240115
022-88240115

天津市联日商贸有限公司

主营：丰田、马自达、本田、尼桑

地址：天津市北辰区铁路东路北方汽贸园 D 区一排 9 号
电话：022-88230670

哈尔滨旭通汽车销售服务有限公司汽车配件经营部

主营：日本原厂尼桑系列汽车零部、

地址：哈尔滨市南岗区宣化街 48 号
电话：0451-82612225-1040

金九洲进口汽车修配有限公司

主营：汽车修理、售后服务

地址：哈尔滨市南岗区宣化街 459 号
电话：0451-82521818

哈尔滨新通利汽车配件经销公司

主营：丰田汽车零配件、轮胎汽车用半导体

地址：哈尔滨市南岗区宣化街 52 号
电话：0451-82673222

大庆同和汽车销售有限公司

主营：汽车销售、汽车维修、配件销售

地址：大庆市让胡路区西强区 40 号大庆北方汽配城二楼 F1 号
电话：0459-5911-778

哈尔滨市南岗区龙奥汽车配件商店

主营：汽配、小包装润滑油

地址：哈尔滨市南岗区宣化街 54 号
电话：0451-82609791

大庆市山海贸有限公司

主营：北方奔驰、铁马、斯太尔

地址：大庆市让胡路区西强区 40 号大庆北方汽配城 21 栋 A04
电话：0459-6137870

大庆市天镇有限公司

主营：东风悦达起亚及售后服务

地址：大庆市龙十路西丰街
电话：13089025177

大庆金义信经贸有限公司

主营：汽车配件、五金工具、电料、电线、电缆

地址：大庆市让胡路工西强路 40 号大庆北方汽配城 14 楼东 01 号
电话：0459-6137620

大庆名丰汽车销售服务有限公司

主营：菲亚特全列轿车配件

地址：大庆市让胡路区西路 40 号大庆北方汽配城内
电话：0459-5382181

大庆市兄弟汽车销售有限公司

主营：上海华普汽车、斯柯达汽车销售后服务、汽车的销售

地址：大庆市高新区汽车工业园
电话：0459-5183933

大庆市成通汽车销售服务有限公司

主营：汽车销售

地址：大庆市萨尔图区东风新村中关北街 20 号
电话：0459-6367255

大庆让区金圆经贸有限公司

主营：汽配、五金文化

地址：大庆市让胡路区西强路 40 号大庆北方汽配城 10-02 号
电话：1310153566

鑫宇龙经贸有限公司

主营：汽车配件

地址：大庆市让胡路区西强区 40 号大庆北方汽配城 25-A01 号
电话：0459-5964648

勃发汽车用品

主营：汽车精品

地址：大庆市让胡路区西强区 40 号大庆北方汽配城 26-B06 号
电话：0459-5912828

鑫兴隆汽配经销处

主营：五十铃

地址：大庆市让胡路区西强区 40 号大庆北方汽配城 26-A12 号
电话：0459-5234383

大庆市鑫轩物资经贸

主营：北方奔驰汽车配件等

地址：大庆市让胡路区西强区 40 号大庆北方汽配城 26-A03 号
电话：0459-5960444

大庆市联丰经贸有限公司

主营：汽车配件

地址：大庆市让胡路区西强区 40 号大庆北方汽配城 23-07 号
电话：0459-5911230

大庆路达经贸有限公司

主营：轮胎、轮毂等

地址：大庆市让胡路区西强区 40 号大庆北方汽配城 25-A05 号
电话：0459-6139083

三足鼎物资经销公司

主营：汽车棚靠、修理

地址：大庆市让胡路区西强区 40 号大庆北方汽配城 14-西 11 号
电话：0459-6137222

新天元技术服务有限公司

主营：客车配件

地址：大庆市让胡路区西强区 40 号大庆北方汽配城 17-B03 号
电话：0459-5911202

大庆广丰汽配有限公司

主营：尼桑、丰田、三菱配件等

地址：大庆市让胡路区西强区 40 号大庆北方汽配城 11-06 号
电话：0459-5912260

飞远汽配总汇

主营：汽车配件等

地址：大庆市让胡路区西强区 40 号大庆北方汽配城 14 东 10 号
电话：0459-6139917

通 暴 汽 配

主营：汽车配件等

地址：大庆市让胡路区西强区 40 号大庆北方汽配城 14-东 12 号
电话：0459-6137531

大庆调发汽车精品

主营：汽车精品等

地址：大庆市让胡路区西强区 40 号大庆北方汽配城 14-西 03 号
电话：0459-5919103

北华物资采购供应站

主营：蓄电池、轮胎、防冻液等

地址：大庆市让胡路区西强区 40 号大庆北方汽配城 14-西 02 号
电话：0459-6137666

大庆市华龙润滑油经贸有限公司

主营：润滑油

地址：大庆市让胡路区西强区 40 号大庆北方汽配城 14-西 06 号
电话：0459-5990007

百信成大经贸有限公司

主营：汽配、装饰、五十铃配件精品等

地址：大庆市让胡路区西强区 40 号大庆北方汽配城 31 商服 08 号
电话：0459-5918486

大庆却润发汽车精品

主营：汽车精品

地址：大庆市让胡路区西强区 40 号大庆北方汽配城
电话：0459-5918103

大庆市众人汽车装饰

主营：汽车精品

地址：大庆市让胡路区西强路 40 号大庆北方汽配城 31 商服 18 号
电话：0459-5912990

北华经贸有限公司

主营：防冻液

地址：大庆市让胡路区西强路 40 路大庆北方汽配城 31 商服 20 号
电话：0459-5918171

郑州鑫金海汽配

主营：北京现代、伊兰特、圣达菲、起亚嘉华、大宇、江淮瑞风、万通面包等系列纯正配件

地址：郑州市北环汽配装饰广场 A 区 2 排 12 号
电话：0371-65352160

郑州市管城区格华汽配供应站

主营：东风风神三吨轻卡系列、宇通中巴、苏州金龙客车配件、代理二汽东风活塞轴瓦厂、东风发动机厂、东风车桥厂、东风发动机零部件 T、十堰玉鹏工贸有限公司等

地址：郑州市南三环与 107 国道交叉口河南汽贸园 B2 区 2 排 19-20 号
电话：0371-66165115

郑州市管城陇昌汽配经销处

主营：代理南京活塞环、仪征塞活环、日照活塞、南通抱子甘蓝套、扬动股份及其他农用车配件等近百个厂家的产品

地址：郑州市南三环与 107 国道交叉口河南汽贸园 A2 区 3 排 3 号
电话：0371-65070686

郑州晨季贸易有限公司

主营：各种进口，国产车型、全车灯具及全车塑料配件

地址：郑州市南三环与 107 国道交叉口河南汽贸园 A 区 6 排 14-15 号
电话：0371-66165828

郑州亚华汽车配件公司

主营：轻型车系列：海狮、皮卡、小解放、中巴、北京、一汽金杯等；发动机系列：一汽、大柴、金杯、五十铃、北内、云内、三菱、一汽三吨、轻卡等配件

地址：郑州市南三环与107国道交叉口河南汽贸园B1区6排1号11号
电话：0371-66880776
66165867

郑州四方国齿轮销售有限公司

主营：一汽哈齿、长春奇力达齿轮、一汽备品总代理、跃进兴化齿轮、山东潍坊齿轮、山东临工、沈齿郑州专卖点

地址：郑州市南三环与107国道交叉口河南汽贸园A1区1排2号
电话：0371-668806996

郑州罗兰贸易有限公司

主营：代理东风康明斯、6BT、6CT、双桥

地址：郑州市南三环与107国道交叉口河南汽贸园B2区2排2号
电话：0371-66880716

郑州市管城区三中制动阀汽配部

主营：三中汽车配件，代理石首市三中汽车零部件、绍兴、华兴汽车零部件

地址：郑州市南三环与107国道交叉口河南汽贸园B2区3排2号
电话：0371-68299851

郑州市管城区名优齿轮专卖店

主营：兰州汽车齿轮厂生产的所有变速箱、齿轮、底盘齿轮；代理：泰州追日同步器、广东佛山离合器、青岛水箱、哈瓦洛轴承等

地址：郑州市南三环与107国道交叉口河南汽贸园A2区3排9号
电话：0371-66881679
66880069

郑州市金龙客车备件供应站

主营：郑州宇通、金龙客车、郑州东风二汽轻卡全车件、湖南车桥、公安桥、东风车桥、冠良刹车片、杭州金马虎腾离合器片、压盘等

地址：郑州市南三环与107国道交叉口河南汽贸园B2区3排11号
电话：0371-66880982
66165688

郑州中路商贸有限公司

主营：福田483、4D22、云内4100、大柴498、一汽三吨、金杯海狮6480、皮卡全车配件

地址：郑州市南三环与107国道交叉口河南汽贸园临街3排1、2号
电话：0371-66165151
66165152
66165153

郑州市管城区启亮汽配部

主营：湖南车桥、一汽小解放底盘、农用车1080、1088、各种前后桥、轴头、差壳、盆角齿、减速器总成、东风车桥河南代理销售单位

地址：郑州市南三环与107国道交叉口河南汽贸园临街4排9、11号
电话：0371-66880761

郑州圣联科技发展有限公司

主营：美国“盖瑞特”英国“霍尔塞特”东风发动机、北京“统一”中美合资天津维克斯滤清器、荆州环宇汽配、南平华泰、湖北飞宇、日本大丰等

地址：郑州市南三环与107国道交叉口河南汽贸园临街1排6、12号
电话：03703713003

郑州市11达汽车配件经营部

主营：杭州奇磔离合器、贵州华橡胶件、广州益达风扇带、瑞安超滤清器、温州欧福油封、贵州大众风扇带、胶管、杭州奇瑞制动泵、杭州新风支架总成等零部件

地址：郑州市南三环与107国道交叉口河南汽贸园B2区1排5、15号
电话：0371-66165887

郑州市管城万大汽配经营部

主营：浙江强力油管、刹车管、福建晋江枫标系列轮胎螺栓、浙江玉环南方机械厂南叶系列标准件等

地址：郑州市南三环与107国道交叉口河南汽贸园A2区2排13号
电话：0371-6681009

郑州市管城区江杨汽配销售部

主营：扬州柴油机发动机配件等汽配产品

地址：郑州市南三环与107国道交叉口河南汽贸园A1区3排11、12号
电话：0371-66880685

郑州市宏鑫汽车配件经销部

主营：宁波航远制动泵、宁波厅达制动泵、华亚真空助力器、杭州刹车片、宁波刹车蹄、余姚金茂滤清器、上海空压机等汽车零部件

地址：郑州市南三环与107国道交叉口河南汽贸园A1区5排20号
电话：0371-66726334
66827136

郑州华瑞汽车配件有限公司

主营：农用车配件、代理扬柴、莱动全车配件、福建龙马、轻骑、东方、时风时代、轻卡底盘件等

地址：郑州市南三环与107国道交叉口河南汽贸园A1区6排11、12号
电话：0371-66880748

郑州一合汽车配件经销处

主营：各种车型离全器总成、压盘总成、刹车蹄总片成、各种型号铆钉、代理杭州“奇碟”离全器、衡水“永信”“科锐”河南“精忠”等名优厂家产品

地址：郑州市南三环与107国道交叉口河南汽贸园B1区2排19、20号
电话：0371-66881601

郑州久盛贸易有限公司

主营：扬动、扬内、扬发各种多缸柴油机及配件、江苏飞船齿轮、宁波万丰汽车制动器等汽车零部件

地址：郑州市南三环与107国道交叉口河南汽贸园A1区4排6号
电话：0371-63318332

郑州管城区华海区汽配部

主营：离合器、助力器、轴承、万向节、传动螺丝

地址：郑州市老 107 国道与南三环交叉口河南汽贸园 A2 区四排 14 号

电话：0371-66165778
66832970

郑州市管城区鸿运汽车配件经营部

主营：钢圈

地址：郑州市老 107 国道与南三环交叉口河南汽贸园 A2 区四排 15 号

电话：0371-68658489

郑州市管城区鑫兴批发部

主营：轴承

地址：郑州市老 107 国道与南三环交叉口河南汽贸园 A2 区四排 16 号

电话：0371-66165165
66895589

郑州市清华润滑油有限公司

主营：润滑油、玉柴、锡柴、东风

地址：郑州市老 107 国道与南三环交叉口河南汽贸园 A2 区四排 17 号

电话：0371-66815578

郑州市管城区常武电机经营部

主营：起动机、发电机及配件

地址：郑州市老 107 国道与南三环交叉口河南汽贸园 A2 区四排 18 号

电话：0371-66823413

郑州市管城区帅兴汽车配件销售处

主营：变速箱、齿轮、轴承、顶盖

地址：郑州市老 107 国道与南三环交叉口河南汽贸园 A2 区五排 13 号

电话：0371-66165218

郑州市中路汽车配件供应站

主营：东风 145、153、22 后桥、紫罗兰、重型车等全车配件

地址：郑州市老 107 国道与南三环交叉口河南汽贸园 A1 区六排 16、17 号
电话：0371- 66165800
66814421
66829712

郑州华宇汽配有限公司

主营：玉柴、锡柴、大柴、底盘全车配件

地址：郑州市管城区南营乡姚庄郑州国产汽配市场 C 区 13 号
电话：13903836105

郑州国信汽车配件有限公司

主营：一汽解放中、重型全车配件

地址：郑州市老 107 国道与南三环交叉口河南汽贸园 A3 区 1-4 号
电话：0371-66836855

郑州鑫通汽配贸易有限公司

主营：一汽解放、二汽东风、斯太尔（王）、金龙、宇通全车配件、保险杠、

地址：郑州市管城区南营乡姚庄郑州国产汽配市场 D 区 18 号
电话：0371-66823111

郑州市顺发轮胎批发总汇

主营：轮胎

地址：郑州市老 107 国道与南三环交叉口河南汽贸园 A3 区 3 排 5、6 号
电话：0371-66880706
60908106

郑州豫华汽保设备有限公司

主营：汽保工具

地址：郑州市老 107 国道与南三环交叉口河南汽贸园 A3 区 3 排 7 号
电话：0371-66872990

郑州市东大联合轴承营销中心

主营：轴承

地址：郑州市老 107 国道与南三环交叉口河南汽贸园 A3 区 3 排 8 号
电话：0371-66165380

郑州市双全汽保维修工具批发部

主营：汽保工具

地址：郑州市老 107 国道与南三环交叉口河南汽贸园 A3 区 3 排 9 号
电话：0371-66895369
63350818

郑州联谊轮胎商行

主营：轮胎

地址：郑州市老 107 国道与南三环交叉口河南汽贸园 A3 区 3 排 10 号
电话：0371-63350952

郑州威信液压销售部

主营：工程车油缸、分配阀、液压泵站、齿轮泵

地址：郑州市老 107 国道与南三环交叉口河南汽贸园 A3 区 3 排 11、12 号
电话：0371-66165939

郑州市长丰汽车配件供应站

主营：曲轴皮带轮、发动机齿轮、农用车底盘件

地址：郑州市老 107 国道与南三环交叉口河南汽贸园 A2 区 6 排 1 号
电话：0371-66871033

郑州市管城区华光灯具批发部

主营：灯具

地址：郑州市老 107 国道与南三环交叉口河南汽贸园 A2 区 6 排 2 号
电话：0371-66165308

郑州市管城区隆达润滑油商行

主营：润滑油

地址：郑州市老 107 国道与南三环交叉口河南汽贸园 A2 区 6 排 3 号
电话：0371-66827921

郑州哈力服务站市场门市部

主营：变速箱及相关产品、油品

地址：郑州市老 107 国道与南三环交叉口河南汽贸园 A2 区 6 排 4 号
电话：0371-68299633

郑州管城区四旺润滑油销售部

主营：润滑油

地址：郑州市老 107 国道与南三环交叉口河南汽贸园 A2 区 6 排 17 号
电话：0371-66165228

郑州市管城区特斯顶级润滑油

主营：润滑油

地址：郑州市老 107 国道与南三环交叉口河南汽贸园 A2 区 6 排 18 号
电话：0371-66829606

郑州市管城区联安汽配经营部

主营：汽车空调、配件、电器

地址：郑州市老 107 国道与南三环交叉口河南汽贸园 A2 区 5 排 14 号
电话：0371-66826940

郑州市昌盛润滑油供应站

主营：润滑油、滤芯、各种泵阀

地址：郑州市老 107 国道与南三环交叉口河南汽贸园 A2 区 5 排 15 号
电话：0371-66165680

郑州市管城区跃龙轮胎商行

主营：轮胎

地址：郑州市老107国道与南三环交叉口河南汽贸园A3区3排3号
电话：0371-66165906

河南行华轮胎有限公司

主营：轮胎

地址：郑州市老107国道与南三环交叉口河南汽贸园A3区3排4号
电话：0371-66881236

郑州市管城区一汽配件

主营：一汽配件

地址：郑州市老107国道与南三环交叉口河南汽贸园A2区5排16号
电话：0371-66870079

河南裕华汽车贸易有限公司

主营：变速及配件

地址：郑州市老107国道与南三环交叉口河南汽贸园A2区5排17号
电话：0371-68299816

郑州市管城区功汽配经营部

主营：拉线、水管、滤芯、垫皮

地址：郑州市老107国道与南三环交叉口河南汽贸园A2区5排18号
电话：0371-65187523

郑州市管城区豫龙汽配部

主营：变速箱、齿轮、轴承

地址：郑州市老107国道与南三环交叉口河南汽贸园A2区5排19号
电话：0371-66881134

郑州市朝阳汽车配件经营部

主营：朝柴：4102、4105、6102、6105

发动机配件

地址：郑州市老 107 国道与南三环交叉口河南汽贸园 A2 区 2 排 16 号

电话：0371-66827097

东南汽车配件行

主营：助力器、方向机、

地址：郑州市老 107 国道与南三环交叉口河南汽贸园 A2 区 2 排 17 号

电话：0371-66675899

郑州市东康汽车配件销售部

主营：全车配件、变速箱

地址：郑州市老 107 国道与南三环交叉口河南汽贸园 A2 区 2 排 18-20 号

电话：0371-68299807
68299802

郑州市中联汽配部

主营：二汽东方配件、各种汽车、

农用车半轴套管

地址：郑州市老 107 国道与南三环交叉口河南汽贸园 A2 区 3 排 1 号

电话：0371-66881615

郑州万过汽配轴承总汇

主营：轴承

地址：郑州市老 107 国道与南三环交叉口河南汽贸园 A1 区 4 排 17 号

电话：0371-66165117

郑州永慧润滑油销售有限公司

主营：润滑油、润滑脂、制动液、

地址：郑州市老 107 国道与南三环交叉口河南汽贸园 A1 区 4 排 18 号

电话：0371-66165505

郑州市管城区冰园汽车经营部

主营：三滤、汽保设备

地址：郑州市郑州市老107国道与南三环交叉口河南汽贸园A1区3排17号
电话：0371-66165786

郑州市管城区宏过汽配

主营：BPW桥、原厂各种配件、悬挂、附件

地址：郑州市老107国道与南三环交叉口河南汽贸园A1区3排18号
电话：0371-66165818

郑州市凯达汽配经营部

主营：传动柚、万向节

地址：郑州市老107国道与南三环交叉口河南汽贸园A1区3排19号
电话：0371-66165823

金洲汽配供应站

主营：东风、解放、红岩等减振器、风扇带

地址：郑州市老107国道与南三环交叉口河南汽贸园A1区3排20号
电话：0371-66103525

郑州市玉达汽配商行

主营：玉柴、柳发、洛拖系列柴油机配件

地址：郑州市老107国道与南三环交叉口河南汽贸园A1区4排1号
电话：0371-66726017

浙江前锦离合器有限公司

主营：离合器、刹车片

地址：郑州市老107国道与南三环交叉口河南汽贸园A1区4排2号
电话：0371-68299635

郑州市管城区瑞丰汽配商行

主营：全车配件、变速箱、离合器、油封、底盘

地址：郑州市老 107 国道与南三环交叉口河南汽贸园临街区 3 排 3、4、9、10 号

电话：0371-66810116

郑州常乐江淮汽配公司

主营：全车配件、底盘配件

地址：郑州市老 107 国道与南三环交叉口河南汽贸园临街区 3 排 5、6 号

电话：0371-66726967

郑州市管城区何涛汽配经销部

主营：刹车王、干燥器、调整臂、油封

地址：郑州市老 107 国道与南三环交叉口河南汽贸园临街区 3 排 8 号

电话：0371-66828685

郑州市中康汽配销售有限公司

主营：发动机原厂配件、齿轮、活塞环

地址：郑州市老 107 国道与南三环交叉口河南汽贸园临街区 3 排 11、12 号

电话：0371-66726512

郑州市管城区鑫中汽配部

主营：东风、康明斯全车配件

地址：郑州郑州市老 107 国道与南三环交叉口河南汽贸园临街区 4 排 1、2、7、8 号

电话：0371-66827748

郑州市瑞立汽配有限公司

主营：零部件、千斤顶、离合器、制动器

地址：郑州市老 107 国道与南三环交叉口河南汽贸园临街区 4 排 3、4、9、10 号

电话：0371-66165179

郑州市管城区新星汽配经营部

主营：滤清器

地址：郑州郑州市老 107 国道与南三环交叉口河南汽贸园临街区 6 排 7、17 号
电话：0371-66828055

郑州市管城区东阳汽配经营部

主营：后桥、半挂、橡胶件、紧固件、半轴配件大

地址：郑州郑州市老 107 国道与南三环交叉口河南汽贸园临街区 6 排 8、18
电话：0371-66822157

郑州市管城区广大汽配经销处

主营：制动阀、制动液、滤清器、刹车蹄

地址：郑州郑州市老 107 国道与南三环交叉口河南汽贸园临街区 7 排 1 号
电话：0371-66165895

郑州市管城汇龙润滑油销售部

主营：润滑油、润滑脂、防冻液、刹车油

地址：郑州郑州市老 107 国道与南三环交叉口河南汽贸园临街区 7 排 2、8 号
电话：0371-66165716

郑州市管城区文事达汽配公司

主营：轻、中、重型卡车全车配件

地址：郑州郑州市老 107 国道与南三环交叉口河南汽贸园临街区 7 排 3、4 号
电话：0371-66880765

宇 鑫 中 巴 大 全

主营：倒车镜、处饰板金、离合刹车器

地址：郑州郑州市老 107 国道与南三环交叉口河南汽贸园 A1 区 2 排 7 号
电话：0371-66895569

郑州市管城区永义汽配

主营：轴承、底盘件、制动泵

地址：郑州郑州市老 107 国道与南三环交叉口河南汽贸园 A1 区 2 排 8 号
电话：0371-66165657

兴发汽配供应中心

主营：大、中、小型汽车板簧

地址：郑州郑州市老 107 国道与南三环交叉口河南汽贸园 A1z 区 2 排号
电话：0371-66829491

郑州市管城区瑞鑫汽配经营部

主营：货车配件

地址：郑州郑州市老 107 国道与南三环交叉口河南汽贸园临街区 6 排 9、19 号
电话：0371-66165871

郑州管城区蓝波汽配商店

主营：增压大全、齿轮系列大全

地址：郑州郑州市老 107 国道与南三环交叉口河南汽贸园临街区 6 排 10、20 号
电话：0371-66814465

郑州金太阳润滑油有限公司

主营：润滑油、刹车油、不冻液、汽车护理用品

地址：郑州郑州市老 107 国道与南三环交叉口河南汽贸园临街区 6 排 13 号
电话：0371-66165621

郑州市管城区建江汽配经营部

主营：紧固件、轮胎、汽车工具

地址：郑州郑州市老 107 国道与南三环交叉口河南汽贸园临街区 6 排 14 号
电话：0371-66165551

郑州市荣华钢板大全

主营：钢板、卡子、刹车蹄片

地址：郑州市老107国道与南三环交叉口河南汽贸园A1区二排15号
电话：0371-66880713

郑州市管城区康灵电器商行

主营：发电机、起动机、电器

地址：郑州市老107国道与南三环交叉口河南汽贸园A1区二排16号
电话：0371-66880987

郑州汇源汽配有限公司

主营：润滑油、增压型发动机配件

地址：郑州市老107国道与南三环交叉口河南汽贸园A1区二排17、18号
电话：0371-66880665

郑州市管城区江扬汽配供应站

主营：杨柴、扬动、朝柴系列配件及全机

地址：郑州市老107国道与南三环交叉口河南汽贸园A1区三排11号
电话：0371-66880685

郑州鸿达润滑油有限公司

主营：各种润滑油、润滑脂、防冻液、刹车油

地址：郑州市老107国道与南三环交叉口河南汽贸园A1区三排12号
电话：0371-66165038

郑州市二七区顺达汽配商店

主营：五十铃、三菱、日野、尼桑、

地址：郑州市老107国道与南三环交叉口河南汽贸园A1区三排13、14号
电话：0371-66165187

郑州市聚鑫汽车配件经销部

主营：水泵、斯太尔配件

地址：郑州市老107国道与南三环交叉口河南汽贸园A1区三排15号
电话：0371-66881416

一汽红塔公司（授权）配件中心

主营：一汽红塔解放轻长系列

地址：郑州市老107国道与南三环交叉口河南汽贸园A1区三排16号
电话：0371-66871228

郑州增伟汽配半挂有限公司

主营：重型汽车配件、半挂全车底盘件

地址：郑州市管城区南曹乡姚庄郑州国产汽配市场A1区29-32号
电话：0371-66836963

郑州市管城区华强汽配经营部

主营：变速箱齿轮、后桥齿轮、轴承

地址：郑州市管城区南曹乡姚庄郑州国产汽配市场A4区
电话：0371-66830093

郑州致同汽配有限公司

主营：汽车零配件、润滑油、五金交电

地址：郑州市管城区南曹乡姚庄郑州国产汽配市场C区15号
电话：0371-66839995

郑州市管城区好运汽配站

主营：汽车配件

地址：郑州市管城区南曹乡姚庄郑州国产汽配市场B5区9-10号
电话：0371-66827006

郑州永泰商贸有限公司

主营：一汽锡柴

地址：郑州市管城区南曹乡姚庄郑州国产汽配市场 A4 区 27-30 号
电话：0371-66830333

郑州市阳杰汽配有限公司

主营：一汽中、重型车、超级重卡车配件

地址：郑州市管城区南曹乡姚庄郑州国产汽配市场 A1 区 9-12 号
电话：0371-66838909

郑州宇升汽车液压技术公司

主营：各种名优汽车液压配件、润滑油等

地址：郑州市管城区南曹乡姚庄郑州国产汽配市场 C 区 12 号
电话：0371-66813897

郑州海菲汽配有限公司

主营：汽车配件、润滑油、轮胎

地址：郑州市管城区南曹乡姚庄郑州国产汽配市场 A4 区 21-26 号
电话：0371-66838018

郑州紫罗兰油品销售有限公司

主营：国内主要名牌润滑油

地址：郑州市管城区南曹乡姚庄郑州国产汽配市场 C 区 6 号
电话：0371-66830222

河南玉华汽配有限公司

主营：大柴、玉柴、锡柴全车配件

地址：郑州市管城区南曹乡姚庄郑州国产汽配市场 C 区 10 号
电话：0371-66817747

郑州德水商贸有限公司

主营：汽保设备、配件、工具

地址：郑州市管城区南曹乡姚庄郑州国产汽配市场 A5 区 33-36 号
电话：0371-66814432

郑州市全桥实业有限公司

主营：斯太尔、红岩、欧曼装载机配件

地址：郑州市管城区南曹乡姚庄郑州国产汽配市场 B7 区 1 号
电话：0371-66838233

郑州鹤发贸易有限公司

主营：平原滤清器

地址：郑州市老 107 国道与南三环交叉口河南汽贸园 A2 区一排 17 号
电话：0371-66726658

郑州市管城区长征汽配经营部

主营：油封、制动泵、橡胶件、风扇带

地址：郑州市老 107 国道与南三环交叉口河南汽贸园 A2 区一排 18 号
电话：0371-66165572

郑州管城友谊汽配厂家联中心

主营：刹车片、离合器片、油封、螺丝

地址：郑州市老 107 国道与南三环交叉口河南汽贸园 A2 区一排 19、20 号
电话：0371-66829606

郑州市明旭汽配贸易行

主营：刹车片、灯泡、电器

地址：郑州市老 107 国道与南三环交叉口河南汽贸园 A2 区二排 1、2 号
电话：0371-66811014

郑州市管城区航兴汽配部

主营：轮胎螺丝、底盘配件、过桥总成、行星齿

地址：郑州市老 107 国道与南三环交叉口河南汽贸园 A2 区二排 14 号
电话：0371-66881516

郑州市新金源润滑油经销处

主营：润滑油、刹车油、大柴

地址：郑州市老 107 国道与南三环交叉口河南汽贸园 A2 区二排 15 号
电话：0371-66880746

郑州四方圆齿轮销售公司

主营：重卡、轻卡、客车、农用车齿轮

地址：郑州市老 107 国道与南三环交叉口河南汽贸园 A2 区一排 2、12 号
电话：0371-66880696

郑州国强汽配有限公司

主营：离合器片、轴承

地址：郑州市老 107 国道与南三环交叉口河南汽贸园 A2 区一排 3、4、13、14 号
电话：0371-66814443

郑州市管城区同发汽配经营部

主营：发动机配件、新跃进、新江淮、北汽福田

地址：郑州市老 107 国道与南三环交叉口河南汽贸园 A2 区一排 5、15 号
电话：0371-66165788

郑州腾航航星汽配经营部

主营：汽车电器在、二级管、水箱、仪表、全车线

地址：郑州市老 107 国道与南三环交叉口河南汽贸园 A2 区一排 6、16 号
电话：0371-66814448

郑州市华宇汽配有限公司

主营：变速箱、支架

地址：郑州市老 107 国道与南三环交叉口河南汽贸园 A2 区一排 7、8 号
电话：0371-66165078

河南三环贸易有限公司

主营：斯太尔、红岩、、欧曼叠车配件

地址：郑州市老 107 国道与南三环交叉口河南汽贸园 A1 区三排 15 号
电话：0371-66165881

郑州市明康汽配销售有限公司

主营：发动机件、齿轮、重卡底盘

地址：郑州市老 107 国道与南三环交叉口河南汽贸园 A2 区二排 5 号
电话：0371-682996

郑州市韦荣汽配销售部

主营：滤清器大全、扭力胶套、干燥箱、

地址：郑州市老 107 国道与南环交叉口河南汽贸园 A2 区二排 6 号
电话：0371-66165

郑州市晋慧汽配经销部

主营：电器开关、滤清器、空气滤芯、

地址：郑州市老 107 国道与南三环交叉河南汽贸园 A 区二排 7 号
电话：0371-66829797

臣丰汽配商行

主营：各种车型底盘件、轴承、齿轮

地址：郑州市老 107 国道与南三环交叉口河南汽贸园 A2 区 2 排 8 号
电话：0371-66871018

名优润滑油总汇

主营：润滑油、刹车油、黄滑油

地址：郑州市老107国道与南三环交叉河南汽贸园A区二排9号
电话：0371-66165519

郑州市中基汽车配件销售处

主营：车桥、转向器、客车卡车零部件、

地址：郑州市老107国道与南三环交叉河南汽贸园A区二排10号
电话：0371-68299075

郑州晨季贸易有限公司

主营：灯具、保险杠、仪表台、密封胶

地址：郑州市老107国道与南三环交叉河南汽贸园A区六排4、5、6号
电话：0371-66880681

郑州市中路汽车配件有限公司

主营：双后桥、牵引车、变速箱

地址：郑州市老107国道与南三环交叉河南汽贸园A区六排6、7号
电话：0371-66165800

河南瑞中汽车配件有限公司

主营：汽车配件

地址：郑州市老107国道与南三环交叉河南汽贸园A区六排8、9、10号
电话：0371-66871278

郑州永昌汽配

主营：各种副箱、变速箱、盆角齿、方向助力泵

地址：郑州市老107国道与南三环交叉河南汽贸园A区一排1、11号
电话：0371--66165566

郑州管城区方达汽配部

主营：橡胶件、离合器件、底盘件、
刹车调整臂

地址：郑州市老107国道与南三环交叉河南汽贸园A区二排3号
电话：0371-66829314

郑州市管城区永兴汽配经销部

主营：离合器片、消声器

地址：郑州市老107国道与南三环交叉河南汽贸园A区二排4号
电话：0371-66829351

郑州市管城区郭萍汽配部

主营：维柴、莱动、飞动

地址：郑州市老107国道与南三环交叉河南汽贸园A区五排2号
电话：0371-66880715

恒兴汽配经销处

主营：轴承、一汽、二汽底盘件

地址：郑州市老107国道与南三环交叉河南汽贸园A区五排3号
电话：0371-63356653

郑州市鸿达汽配商行

主营：机油滤清器、风扇带、调节器、
继电器

地址：郑州市老107国道与南三环交叉河南汽贸园A区五排4号
电话：0371-66881432

郑州市管城区黎明汽配经销处

主营：丰田Z3Y、绵阳491

地址：郑州市老107国道与南三环交叉河南汽贸园A区五排5号
电话：0371-66881612

郑州市瑞华汽配经营部

主营：汽车电器、门锁

地址：郑州市老 107 国道与南三环交叉河南汽贸园 A 区五排 6 号
电话：0371-66872919

武进电机厂家销售处

主营：各种起动机、发电机、电机零配件

地址：郑州市老 107 国道与南三环交叉河南汽贸园 A 区五排 18 号
电话：0371-66881609

南方汽车汽车灯具批发中心

主营：一汽灯具、灯泡、驾驶室、钣金件

地址：郑州市老 107 国道与南三环交叉口河南汽贸园 A1 区五排 19 号
电话：0371－66165381

郑州市宏鑫汽车配件批发部

主营：油封、制动泵、轮胎螺丝

地址：郑州市老 107 国道与南三环交叉口河南汽贸园 A1 区五排 20 号
电话：0371－66726334

郑州亚华汽配

主营：一汽小解放、金杯海狮、皮卡配件

地址：郑州市老 107 国道与南三环交叉口河南汽贸园 A1 区六排 1、2 号
电话：0371－66880776

郑州红军汽车配件批发部

主营：空调带、风扇带、刹车蹄、输油泵、方向节

地址：郑州市老 107 国道与南三环交叉口河南汽贸园 A1 区六排 3 号
电话：0371－66165686

郑州华瑞汽车配件有限公司

主营：农用车、缺套、滨州、仪征

地址：郑州市老107国道与南三环交叉口河南汽贸园A1区六排11、12号
电话：0371－66880748

郑州鑫盛柴配经销处

主营:发动机配件、活塞、润滑油、三角带

地址：郑州市老107国道与南三环交叉口河南汽贸园A1区六排13号
电话:0371-66889876

郑州市华阳汽车配件经营部

主营:润滑油、滤芯

地址:郑州市老107国道与南三环交叉口河南汽贸园A2区五排5号
电话：0371－66165268

郑州市管城区工正汽配部

主营：刹车泵阀

地址：郑州市老107国道与南三环交叉口河南汽贸园A2区五排8号
电话：0371－66165208
传真：0371－63350823

郑州市华星汽车配件经营部

主营：起动机、发电机、电磁开关、马达齿轮

地址:郑州市老107国道与南三环交叉口河南汽贸园A2区五排9号
电话：0371－66881453

郑州市华东汽配批发部

主营：螺丝、油管、铜件

地址：郑州市老107国道与南三环交叉口河南汽贸园A2区五排10号
电话：0371－66880771

郑州市众信汽配经营部

主营：巨能王、全车灯具、倒车镜

地址：郑州市老107国道与南三环交叉口河南汽贸园A2区五排12号
电话：0371－68299869

郑州市闽中汽车配件经营部

主营：起动机、发电机配件、电器

地址：郑州市老107国道与南三环交叉口河南汽贸园A2区五排5号
电话：0371－63350863
传真：0371－63350683

铁岭蓝天橡胶制品有限公司

主营：胶管、模压胶管、修理包、油封

地址：郑州市老107国道与南三环交叉口河南汽贸园A2区四排1、11号
电话：0371－66880708
传真：0371－68299867

郑州市民发汽车配件商行

主营：液压管、风炮管、冲压件、装饰件、消声器

地址：郑州市老107国道与南三环交叉口河南汽贸园A2区四排2号
电话：0371－66830985
传真：0371－68299078

郑州市管城区海怀汽配部

主营：油封、高强度螺丝、皮带胶

地址：郑州市老107国道与南三环交叉口河南汽贸园A2区四排3号
电话：0371－66165159

郑州市长久汽配供应站

主营：千斤顶、刹车片、离合器片

地址：郑州市老107国道与南三环交叉口河南汽贸园A2区四排4号
电话：0371－65238216

郑州市星立新汽车配件销售部

主营：泵阀、离合器片、刹车管、管路接头、螺丝

地址：郑州市老107国道与南三环交叉口河南汽贸园A2区四排5号
电话：0371－66871170
传真：0371－66872895

郑州市华腾汽配车轴有限公司

主营：轴承、齿轮

地址：郑州市老107国道与南三环交叉口河南汽贸园A2区四排6号
电话：0371－66165195

郑州市管城区三强汽配销售处

主营：标准件、底盘件

地址：郑州市老107国道与南三环交叉口河南汽贸园A2区四排8号
电话：0371－66165161
传真：0371－66165161

郑州市水生汽车配件批发部

主营：轮胎罗栓、铜板卡、底盘件大全

地址：郑州市老107国道与南三环交叉口河南汽贸园A2区四排19号
电话：0371－66165983
传真：0371－66165983

郑州市华伟四通汽车零件经销部

主营：离合器片，586、588胶，防冻液，滤芯

地址：郑州市老107国道与南三环交叉口河南汽贸园A2区四排20号
电话：0371－68299639

郑州市渝海商贸有限公司

主营：东方红配件

地址：郑州市老107国道与南三环交叉口河南汽贸园A2区五排1、2号
电话：0371－66881285
传真：0371－66726169

郑州市金顿润滑油销售处

主营：润滑油

地址：郑州市老 107 国道与南三环交叉口河南汽贸园 A2 区五排 3 号
电话：0371－66165378
传真：0371－33165378

郑州市管城区浩君汽配批发部

主营：油封、制动泵

地址：郑州市老 107 国道与南三环交叉口河南汽贸园 A2 区五排 4 号
电话：0371－65138002

郑州市管城区郭萍汽配部

主营：潍柴、飞动

地址：郑州市老 107 国道与南三环交叉口河南汽贸园 A1 区五排 2 号
电话：0371－66880715
传真：0371－66165819

恒兴汽配经销处

主营：轴承，一汽、二汽底盘件

地址：郑州市老 107 国道与南三环交叉口河南汽贸园 A1 区五排 3 号
电话：0371－63356653
传真：0371－63318617

郑州市鸿达汽配商行

主营：机油滤清器、风扇带、调节器、继电器

地址：郑州市老 107 国道与南三环交叉口河南汽贸园 A1 区五排 4 号
电话：037166881432
传真：0371－66881432

郑州市管城区黎明汽配经销处

主营：丰田 2Y、3Y，绵阳 491

地址：郑州市老 107 国道与南三环交叉口河南汽贸园 A1 区五排 5 号
电话：0371－66881612
传真：0371－68299058

郑州市瑞华汽配经销处

主营：汽车电器、门锁

地址：郑州市老 107 国道与南三环交叉口河南汽贸园 A1 区五排 6 号
电话：0371－66872919
传真：0371－66872919

武进电机厂家销售处

主营：各种起动机、发动机及电机零配件

地址：郑州市老 107 国道与南三环交叉口河南汽贸园 A1 区五排 18 号
电话：0371－66881603
传真：0371－66165162

郑州市管城区科力汽配部

主营：水泵、气制动器、离合器片、总泵、分泵

地址：郑州市老 107 国道与南三环交叉口河南汽贸园 A2 区六排 12 号
电话：0371－66823968
传真：0371－66823968

郑州市管城区明辉汽配

主营：刹车片、门锁

地址：郑州市老 107 国道与南三环交叉口河南汽贸园 A2 区六排 13 号
电话：0371－66895552

郑州市管城区山东泊雄汽配

主营：密封件、刹车件

地址：郑州市老 107 国道与南三环交叉口河南汽贸园 A2 区六排 15 号
电话：0371－68299611

郑州市维瑞亚机电物资供应展站

主营： Y4102 、YND485 整机配件

地址：郑州市老 107 国道与南三环交叉口河南汽贸园 A2 区六排 16 号
电话：0371－66165618

郑州市管城区福星汽配销售部

主营：刹车片、离合器片

地址：郑州市老 107 国道南三环交叉口河南汽贸 A2 区七排 11 号
电话：0371-66165520

青岛华齿轮有限公司

主营：盒角齿轮、圆柱齿轮、差速器、十字轴

地址：郑州市老 107 国道南三环交叉口河南汽贸 A2 区七排 16 号
电话：0371-66826026

郑州市航运汽车配件销售服务部

主营：大柴、锡柴发动机配件

地址：郑州市老 107 国道南三环交叉口河南汽贸 A2 区一排 4 号
电话：0371-66165818

郑州市圣联科技发展有限公司

主营：康明斯全车配件、发动机

地址：郑州市老 107 国道南三环交叉口河南汽贸 A2 区一排 6 号
电话：0371-66165816

郑州市新全汽车配件经销部

主营：汽车灯具、板金件、装饰配件、

地址：郑州市老 107 国道南三环交叉口河南汽贸 A2 区一排 5、11 号
电话：0371-66165098

郑州市管城区鑫鑫汽配有限公司

主营：半挂配件、富华桥、约克桥

地址：郑州市老 107 国道南三环交叉口河南汽贸 A2 区一排 4 号
电话：0371-66165585

公安铜套河南销售处

主营：铜套、轴瓦、电器、拉线、离合器片、输油泵

地址：郑州市老107国道与南三环交叉口河南汽贸园A2区七排10号
电话：0371－66165675

枣阳中天摩擦片公司郑州办事处

主营：刹车片

地址：郑州市老107国道与南三环交叉口河南汽贸园A2区七排10－1号
电话：0371－66165539

郑州市管城区北内汽配销售部

主营：北京吉普492、道依茨

地址：郑州市老107国道南三环交叉口河南汽贸A2区七排11号
电话：0370-66814503

平原滤清器河南销售公司

主营：康明斯、斯太尔等配套滤清器

地址：郑州市老107国道南三环交叉口河南汽贸A2区七排12号
电话：0370-66831627

郑州市福建冠良刹车片经销处

主营：刹车片、离合器片

地址：郑州市老107国道南三环交叉口河南汽贸A2区七排13号
电话：0370-66165821

郑州市管城区通达半轴销售处

主营：半轴

地址：郑州市老107国道南三环交叉口河南汽贸A2区七排11号
电话：0370-66829605

郑州市管城区恒汽配有限公司

主营：变速箱、后桥配件、发动机配件

地址：郑州市老107国道南三环交叉口河南汽贸A2区一排2、8号

电话：0371-66165860

郑州市管城区永泰商行

主营：发动机配件、增压器

地址：郑州市老107国道南三环交叉口河南汽贸A2区一排3号

电话：0371-68299690

郑州豫盛汽配有限公司

主营：各种重型车发动机配件、山东曲轴

地址：郑州市管城区南曹乡姚庄郑州国产汽配市场D区4号

电话：0371-65384810

郑州市管城区瑞普润滑油供应站

主营：恒运润滑油、朝装发动机专用油、威克701、刹车油、国内外知名品牌润滑油、特种油

地址：郑州市管城区南曹乡姚庄郑州国产汽配市场D区3号

电话：0371-65259266

郑州市瑞凯工贸有限公司

主营：东风、康明斯重型配件

地址：郑州市管城区南曹乡姚庄郑州国产汽配市场A3区3-8号

电话：0371-65389838

宏兴汽车轴录销售处

主营：汽车辆承

地址：郑州市管城区南曹乡姚庄郑州国产汽配市场B4区38-40号

电话：0371-66835888

锦汽汽配销售处

主营：各种车型底盘坚固件

地址：郑州市管城区南曹乡姚庄郑州国产汽配市场 A4 区 17-18 号
电话：0371-66814435

郑州市兴达汽车配件销售处

主营：全车底盘坚固件

地址：郑州市管城区南曹乡姚庄郑州国产汽配市场 B5 区 1 号
电话：0371-66827688

郑州市天顺汽车配件销售处

主营：哈齿、杭齿、变速箱

地址：郑州市管城区南曹乡姚庄郑州国产汽配市场 A2 区二排 11 号
电话：0371-66871276

银河有限销售公司

主营：润滑油、防冻液、刹车油

地址：郑州市管城区南曹乡姚庄郑州国产汽配市场 A2 区二排 12 号
电话：0371-68050266

郑州万达汽配经营部

主营：各种螺丝、制动泵阀

地址：郑州市管城区南曹乡姚庄郑州国产汽配市场 A2 区二排 13 号
电话：0371-66818009

临海市铁马销售有限公司郑州办事处

主营：打气泵、高压油管、柴油硅胶囊、刹车管

地址：郑州市管城区南曹乡姚庄郑州国产汽配市场 A2 区三排 6 号
电话：0371-66881541

郑州市宏锋汽配销售部

主营：油封、皮带、刹车泵、传动轴支架、输油泵

地址：郑州市管城区南曹乡姚庄郑州国产汽配市场 A2 区二排 7 号
电话：0371-66827182

郑州市新宏兴汽车轴承经营部

主营：公主胶、佳木斯、兴城

地址：郑州市管城区南曹乡姚庄郑州国产汽配市场 A2 区二排 8 号
电话：0371-66165561

郑州市管城区小兰齿轮销售处

主营：齿轮、水箱、同步器、轴承

地址：郑州市管城区南曹乡姚庄郑州国产汽配市场 A2 区三排 9 号
电话：0371-66881169

郑州市康华汽车配件经销处

主营：变速箱、齿轮、前付箱、后付箱

地址：郑州市管城区南曹乡姚庄郑州国产汽配市场 A2 区三排 10 号
电话：0371-66880786

郑州天鑫汽配有限公司

主营：制动泵、差壳、轮圈、油封

地址：郑州市管城区南曹乡姚庄郑州国产汽配市场 A2 区三排 11、12 号
电话：0371-66881546

郑州市管城区小杨电器经销处

主营：汽车音响、电器、灯泡

地址：郑州市管城区南曹乡姚庄郑州国产汽配市场 A2 区三排 13 号
电话：0371-66881620

郑州市运发汽车配件供应站

主营：工程车、叉车、柴油车配件、发动机配件

地址：郑州市管城区南曹乡姚庄郑州国产汽配市场 A2 区三排 14 号

电话：0371-66881190

郑州市丰华底盘配件经销处

主营：富华桥、塞夫桥、华劲桥

地址：郑州市管城区南曹乡姚庄郑州国产汽配市场 A2 区三排 15 号

电话：0371-66895556

郑州市闽江进口国产重型汽配部

主营：五十铃、日野、尼桑、进口重型汽配

地址：郑州市老 107 国道与南三环交叉口河南汽贸园临街区五排 4 号

电话：0371-66726245

郑州市安信实业有限公司

主营：解放锡柴配件

地址：郑州市老 107 国道与南三环交叉口河南汽贸园临街区五排 5、6 号

电话：0371-66726199

郑州市管城区泉盛汽配销售部

主营：轮胎螺丝、钢板卡子

地址：郑州市老 107 国道与南三环交叉口河南汽贸园临街区五排 10 号

电话：0371-66814851

郑州市鼎盛润滑油有限公司

主营：高级润脂、刹车油

地址：郑州市老 107 国道与南三环交叉口河南汽贸园临街区五排 11 号

电话：0371-66165656

郑州市管城区求质汽配经营部

主营：轮胎螺栓、传动轴螺栓、U 型卡子、套管

地址：郑州市老 107 国道与南三环交叉口河南汽贸园临街区五排 12 号
电话：0371-66817879

郑州国栋油泵油嘴专卖店

主营：喷油泵总成、喷油嘴、栓塞、出油阀、输油泵

地址：郑州市老 107 国道与南三环交叉口河南汽贸园临街区六排 1、11 号
电话：03716616585

郑州华城有限公司

主营：皮带、滤芯、缓带器、电瓶

地址：郑州市老 107 国道与南三环交叉口河南汽贸园临街区二排 4、10 号
电话：0371－66881308

郑州双赢贸易有限公司分公司

主营：滤清器、齿轮、滑动轴承

地址：郑州市老 107 国道与南三环交叉口河南汽贸园临街区二排 5、11 号
电话：0371－66817944

郑州市豫盛汽车配件有限公司

主营：增压发动机配件

地址：郑州市老 107 国道与南三环交叉口河南汽贸园临街区二排 6、12 号
电话：0371－66880676

郑州市管城区中超汽配商行

主营：产品、增压器、方向机、助力泵

地址：郑州市老 107 国道与南三环交叉口河南汽贸园临街区二排 9 号
电话：0371－66165958

郑州中路商贸有限公司

主营：柴油机、活塞环、轮轴、盆角齿、气门

地址：郑州市老107国道与南三环交叉口河南汽贸园临街区二排1、2、7号
电话：0317－66165151

郑州金丰润润滑油

主营：润滑油

地址：郑州市老107国道与南三环交叉口河南汽贸园临街区五排3、9号
电话：0371－66880785

郑州飞鹰刹车片销售中心

主营：飞鹰牌刹车片、离合器

地址：郑州市管城区南曹乡姚庄郑州国产汽配市场B5区3号
电话：0371－66814425

昌鑫汽配商行

主营：斯太尔、欧曼全车配件

地址：郑州市管城区南曹乡姚庄郑州国产汽配市场B2区21－22号
电话：0371－65889808

郑州华丰汽配供应站

主营：东风、解放、双桥车全车配件

地址：郑州市管城区南曹乡姚庄郑州国产汽配市场A区21－24号
电话：0371－66828050

郑州跃华汽配销售部

主营：一汽解放全车配件

地址：郑州市管城区南曹乡姚庄郑州国产汽配市场C区9号
电话：0371－66823128

郑州市南方汽车灯具经营部

主营：汽车全车附件及扳全件

地址：郑州市管城区南曹乡姚庄郑州国产汽配市场 B5 区 9－12 号
电话：0371－66838282

郑州段氏兄弟橡胶拉线有限公司

主营：橡胶拉线

地址：郑州市管城区南曹乡姚庄郑州国产汽配市场 B4 区 34－37 号
电话：0371－66827504

郑州丰康汽配销售公司

主营：集整车销售、售后服务、配件销售为一体

地址：郑州市南三环与 107 国道交叉口河南汽贸园临街 3 排 25 号
电话：0371－66165987

郑州市永昌汽配有限公司

主营：扬柴、玉柴、云内、柳州发动机，湖南动力等汽车配件

地址：郑州市南三环与 107 国道交叉口河南汽贸园 A2 区 1 排 1 号
电话：0371－66814481

郑州市管城宏达汽配站

主营：东风、解放系列汽车零部件，绍兴驰达调整臂等

地址：郑州市南三环与 107 国道交叉口河南汽贸园 B2 区 1 排 10、20 号
电话：0371－66814464

郑州市茂林汽配有限公司

主营：十堰二汽三吨轻卡、两吨王，郑州宇通、金龙客车全车配件

地址：郑州市南三环与 107 国道交叉口河南汽贸园 B2 区 1 排 1 号
电话：0371－66165599

郑州市同发汽配有限公司

主营：扬柴4102QB等，朝柴4102Q、4102BQ、等，成都490等

地址：郑州市南三环与107国道交叉口河南汽贸园A2区1排5、15号
电话：0371－66165788

郑州晨季贸易有限公司

主营：汽车全车附件及扳金件、各档次汽车维修工具

地址：郑州市姚庄汽配城A四区9－12号
电话：1383859050

郑州市通亚汽车配件销售处

主营：电机、电器

地址：郑州市南三环与107国道交叉口河南汽贸园A1区四排3、4号
电话：0371－66829719

华东灯具批发总汇

主营：灯具、保险杠、倒车镜

地址：郑州市南三环与107国道交叉口河南汽贸园A1区四排5号
电话：0371－66829593

郑州市管城区豫全汽配城

主营：解放、柳特

地址：郑州市南三环与107国道交叉口河南汽贸园A1区四排6号
电话：0371－66872891

河南汽配航达汽配批发部

主营：长安之星、夏利全车配件

地址：郑州市南三环与107国道交叉口河南汽贸园A1区四排7、8号
电话：0371－66881031

郑州市钱江配件销售中心

主营：油管、接头、铜套、泵阀

地址：郑州市南三环与107国道交叉口河南汽贸园A1区四排9号
电话：0371－66880763

郑州还田汽配

主营：起动机、发电机、汽车电器

地址：郑州市南三环与107国道交叉口河南汽贸园A1区四排10号
电话：0371－66881180

郑州市宏兴汽配部

主营：春兰，欧曼，新双桥

地址：郑州市老107国道与南三环交叉口河南汽贸园A1区四排11号
电话：0371－682998020

郑州市建军汽配经营部

主营：汽车配件

地址：郑州市老107国道与南三环交叉口河南汽贸园A1区四排12号
电话：0371－66165131

陇海汽配供应站

主营：方向机、变速箱、制动泵、制动蹄、球头拉杆

地址：郑州市老107国道与南三环交叉口河南汽贸园A1区四排13号
电话：0371－68299636

河南富邦汽配公司

主营：自卸车配件、中巴全体、减震器大全

地址：郑州市老107国道与南三环交叉口河南汽贸园A1区四排14号
电话：0317－68299850

郑州市银宝轮胎销售公司

主营：斜交胎、内胎、垫带、钢圈、防滑链

地址：郑州市老 107 国道与南三环交叉口河南汽贸园临街区七排 9 号
电话：0371-66880729

郑州市管城区华盛世汽配部

主营：底盘件、离合器片、刹车片、万向节、制动泵

地址：郑州市老 107 国道与南三环交叉口河南汽贸园临街区七排 7 号
电话：0371-66726434

郑州红双喜贸易有限公司

主营：轮胎、子午胎

地址：郑州市老 107 国道与南三环交叉口河南汽贸园临街区七排 10 号
电话：0371-66726399

郑州大河汽配有限公司

主营：齿轮、发动机、驾驶机、驾驶室、车架

地址：郑州市老 107 国道与南三环交叉口河南汽贸园临街区八排 5、6 号
电话：0371-66880697

郑州市海通汽车配件有限公司

主营：全车配件

地址：郑州市老 107 国道与南三环交叉口河南汽贸园临街区八排 13-20 号
电话：0371-66824071

郑州市管城区创新汽配公司

主营：锡柴、大柴备品

地址：郑州市老 107 国道与南三环交叉口河南汽贸园 A1 区二排 1 号
电话：0371-66881261

郑州安信实业有限公司

主营：解放锡柴配件

地址：郑州市老 107 国道与南三环交叉口河南汽贸园 A1 区五排 5、6 号

电话：0371－66726199

郑州诚义汽配部直销处

主营：蚌埠天才空气、滤清器

地址：郑州市老 107 国道与南三环交叉口河南汽贸园 A1 区五排 7 号

电话：0371－68299098

郑州市管城区星达重汽有限公司

主营：杭发 WD615、上柴 D6114 发动机、底盘及全车配件

地址：郑州市老 107 国道与南三环交叉口河南汽贸园临街区六排 2、12 号六排

电话：0371－66726789

郑州市管城区鑫中润滑油

主营：润滑油、刹车油、防冻液、滤清器

地址：郑州市老 107 国道与南三环交叉口河南汽贸园临街区六排 3 号

电话：0371－66165779

郑州市郑兴汽保工具经营部

主营：汽保维修工具

地址：郑州市老 107 国道与南三环交叉口河南汽贸园临街区六排 4 号

电话：0371-66165831

郑州市鸿兴汽配有限公司

主营：轮胎

地址：郑州市老 107 国道与南三环交叉口河南汽贸园临街区七排 6 号

电话：0371-68299619

合肥江维汽车配件经营部

主营：驾驶室、底盘

地址：郑州市老107国道与南三环交叉口河南汽贸园A1区二排2号
电话：0371-66165993

郑州龙祥汽车配件经销部

主营：制动鼓、底盘件

地址：郑州市老107国道与南三环交叉口河南汽贸园A1区二排3号
电话：0371-66726609

郑州市管城区航天电机销售处

主营：电器配件

地址：郑州市老107国道与南三环交叉口河南汽贸园A1区二排4号
电话：0371-65082379

郑州一合汽配有限公司

主营：刹车片、离合器、轴承、压板

地址：郑州市老107国道与南三环交叉口河南汽贸园A1区二排19号
电话：0371-68299603

鼎力滤清器经销处

主营：滤清器、汽车配件

地址：郑州市老107国道与南三环交叉口河南汽贸园A1区二排20号
电话：0371-66829602

中泰汽车配件有限公司

主营：6110、6113、6108ZQ

地址：郑州市老107国道与南三环交叉口河南汽贸园A1区三排1号
电话：0371-66880768

郑州方正变箱专卖

主营：变速器、齿轮、变速箱

地址：郑州市老107国道与南三环交叉口河南汽贸园A1区三排2号
电话：0371-66871133

郑州广兴汽配有限公司

主营：玉柴机器、东风系列、全车配件

地址：郑州市老107国道与南三环交叉口河南汽贸园A1区三排3、4号
电话：0371-66881051

郑州宇大汽配有限公司

主营：润滑油、火塞、一汽重型大配件

地址：郑州市老107国道与南三环交叉口河南汽贸园A1区三排5号
电话：0371-66827249

李政电瓶电器有限公司

主营：电瓶、电器

地址：郑州市老107国道与南三环交叉口河南汽贸园A1区三排6号
电话：0371-66726610

郑州市兴国汽车配件商行

主营：离合片、压盘、助力器、制动泵、刹盘总成

地址：郑州市老107国道与南三环交叉口河南汽贸园A1区三排7号
电话：0371-66165079

佳达汽配有限公司

主营：汽车电器

地址：郑州市老107国道与南三环交叉口河南汽贸园A1区三排8号
电话：0371-66726038

江南汽车配件直销处

主营：红岩、斯太尔半配件及解放、西北王、拉煤王、五吨王等

地址：石家庄市翟营南大街658号男二环汽车配件市场内

电话：0311-87919088

86838484

汽车油漆经营部

主营：汽车漆及各种调和漆、硝基漆等

地址：石家庄市翟营南大街658号男二环汽车配件市场内

电话：0311-87693088

吉林浩达汽配

主营：151、142、153、145制动管等

地址：石家庄市翟营南大街658号男二环汽车配件市场内

电话：0311-87919020

广达汽车维修设备有限公司

主营:进口国产车保修设备、易网通汽车综合检测产品

地址：石家庄市翟营南大街658号男二环汽车配件市场内

电话：0311-87919089

河北枣阳九龙刹车片直销处

主营：东风、解放、江淮、黄河、斯太尔、红岩、欧曼等系列刹车片

地址：石家庄市翟营南大街658号男二环汽车配件市场内

电话：0311-87919086

13613117139

千层汽宝设备经销中心

主营：举升机、扒胎机、平衡机

地址：石家庄市翟营南大街658号男二环汽车配件市场内

电话：0311-87919028

振华汽配经销处

主营：北京太平洋金凯达润滑油总经销等

地址：石家庄市翟营南大街 658 号南二环汽车配件大市场内

电话：13313312059

鲁盛源汽配中心

主营：国产大众、丰田、本田等进口系列车型、用刹车盘等

地址：石家庄市翟营南大街 658 号南二环汽车配件大市场内

电话：0311-87919071

石家庄富达康明斯配件经销处

主营：康明斯 6BT 系列、6CT 系列

地址：石家庄市翟营南大街 658 号南二环汽车配件大市场内

电话：0311-87919070

万惠密封胶业大世界

主营：任丘奇力、湖北乐太、河南克天等驻石办事处

地址：石家庄市翟营南大街 658 号南二环汽车配件大市场内

电话：0311-87693411

燕 山 油 业

主营：厂石文广设备用油、工程机械用油等

地址：石家庄市翟营南大街 658 号南二环汽车配件大市场内

电话：13832399302

石家庄名扬汽车配件公司

主营：一汽原配件、CA488、大柴 498、4Y、金杯配件

地址：石家庄市翟营南大街 658 号南二环汽车配件大市场内

电话：0311-7919056

长城润滑油河北销售中心

主营：长城润滑油指定经销商、长城汽车养护用品河北总代理等

地址：石家庄市翟营南大街 658 号南二环汽车配件大市场内
电话：0311-87919038

万通汽车配件专卖

主营：一汽 75、85、H4G 哈齿等

地址：石家庄市翟营南大街 658 号南二环汽车配件大市场内
电话：0311-87919007

远征重汽配件批发部

主营：济南：斯太尔、斯术尔王、小飞龙；重庆：红岩、新款红岩

地址：石家庄市翟营南大街 658 号南二环汽车配件大市场内
电话：0311-87919021

大庆炼化石油化工驻石办事处

主营：高级标马机油、国际标准油品

地址：石家庄市翟营南大街 658 号南二环汽车配件大市场内
电话：0311-88701988

恒泰汽配经营处

主营：轮胎螺丝、轮胎、内胎、垫带等

地址：石家庄市北外环路 88 号石家庄市机动车配件中心批发市场 B-9-1
电话：0311-86854799

石家庄北方永丰汽配

主营：大柴、锡柴、发动机等

地址：石家庄市北外环路 88 号石家庄市机动车配件中心批发市场 D-2-3
电话：0311-86858189

恒鑫汽配直销处

主营：专业制造金龙、宇通、亚星等

地址：石家庄市北外环路 88 号石家庄市机动车配件中心批发市场 A-2-4
电话：0311-86830578

交方一汽服务站

主营：丹东 518 曲轴、烟台缸垫等

地址：石家庄市北外环路 88 号石家庄市机动车配件中心批发市场 A-5-4
电话：0311-86838476

湖南长江干杉平头汽车车身厂

主营：CA142、143、五吨王、西北王、巨能王、工程王等

地址：石家庄市北外环路 88 号石家庄市机动车配件中心批发市场 A-2-18
电话：03111-86838436

石家庄金山汽车配件经销处

主营：解放、东风原厂全车配件

地址：石家庄市北外环路 88 号石家庄市机动车配件中心批发市场 B-3、4-1
电话：0311-86838456

付林汽配经销处

主营：上海翔朝（翔实）离合器厂、长春（东湖）汽车离合器厂产品

地址：石家庄市翟营大街 658 号南二环汽车配件大市场内
电话：0311-87919012

振伟汽配经销处

主营：减速型起动机、普通型起动机

地址：石家庄市翟营大街 658 号南二环汽车配件大市场内
电话：0311-87919057

太行液压经销部

主营：盛通子午线钢丝轮胎总经销，承德像院轮胎等

地址：石家庄市北外环路 88 号石家庄市机动车配件中心批发市场 C-11
电话：0311-86838442

北方通达汽配商行

主营：正宗康明斯发动机、进口零部件等

地址：石家庄市北外环路 88 号石家庄市机动车配件中心批发市场 A-4-11
电话：0311-86838437
传真：0311-86831280

北方雷达东汽配部

主营：东风 153、145、双桥等

地址：石家庄外环路 88 号石家庄市机动车配件中心批发市场 A-3-17
电话：0311-86837021

三 友 汽 配

主营：一汽五吨王、拉煤王、东风双桥等

地址：石家庄市北外环路 88 号石家庄市机动车配件中心批发市场 A-3/4-2
电话：0311-86838439

远航汽配经销公司

主营：北汽福田、东风小霸王、新江淮等

地址：石家庄市北外环路 88 号石家庄市机动车配件中心批发市场 B-5-7
电话：0311-85287954

东风朝阳柴油机公司

主营：朝柴 4100、4102、6102 等

地址：石家庄市北外环路 88 号石家庄市机动车配件中心批发市场 D-9-1
电话：0311-86837658

河北省喷油泵综合服务中心

主营：各种增压器总成及配件、盖瑞特满轮增压器河北总代理

地址：石家庄市北外环路 88 号石家庄市机动车配件中心批发市场 A-1-12
电话：0311-86818745

石家庄市金达汽车配件经销处

主营：一汽、二汽、北方奔驰等

地址：石家庄市北外环路 88 号石家庄市机动车配件中心批发市场 A-1-12
电话：0311-8683702

石家庄柳东宏顺东风汽车配件经销处

主营:东风康明斯 6BT、6CT、1061

地址：石家庄市北外环路 88 号石家庄市机动车配件中心批发市场 A-2-9
电话：0311-86838450
86939562

天一商贸公司润滑油专营店

主营：北京长城系列兰炼飞天系列

地址：石家庄市北外环路 88 号石家庄市机动车配件中心批发市场 A-3-9
电话：0311-86838422

汽车灯具三滤

主营：蚌埠中环滤清器厂石家庄总代理等

地址：石家庄市北环路 88 号石家庄市机动车配件中心批发市场 A-2-8
电话：13315127746

河北优埃商贸有限公司

主营：JOMO 矫马、小松等

地址：石家庄市北外环路 88 号石家庄市机动车配件中心批发市场 A-2-6
电话：0311-86859279

石家庄北方顺德汽配

主营：各种车型方向机、拉杆、前桥

地址：石家庄市北环路 88 号石家庄市机动车配件中心批发市场
电话：0311-86818395

石家庄东兴汽配供应站

主营：锡柴朝柴、扬柴、三内等

地址：石家庄市北环路 88 号石家庄市机动车配件中心批发市场 A-2-1
电话：0311-86855908

万惠密封胶业大世界

主营：各厂 588、688、268 等

地址：石家庄市北环路 88 号石家庄市机动车配件中心批发市场 A-1-18
电话：13582330763

富友汽车配件批发部

主营：高强度轮胎螺栓、U 型螺栓

地址：石家庄市北环路 88 号石家庄市机动车配件中心批发市场 D-2-1
电话：0311-868838479

河南瑞申汽配公司 石家庄分公司

主营：一汽解放系列、二汽东风、康明斯系列等

地址：石家庄市北环路 88 号石家庄市机动车配件中心批发市场 A-3-2
电话：0311-86863724

石家庄北方盛源汽配件商行

主营：红岩、斯太尔、欧曼等

地址：石家庄市北环路 88 号石家庄市机动车配件中心批发市场 A-3-11
电话：0311-86821416

蚌埠滤清器石家庄办事处

主营：各类汽车、工程机械等滤清器配件

地址：石家庄市翟营南大街658号南二环汽车配件大市场内
电话：0311-87919187

辉煌润滑油有限公司

主营：长城、统一、美系加德润滑油

地址：石家庄市翟营南大街658号南二环汽车配件大市场内
电话：0311-87919022

恒泰汽车配件商行

主营：东风、康明斯、6CT发动机配件等

地址：石家庄市翟营南大街658号南二环汽车配件大市场内
电话：0311-87919053

永宏大车配件修理中心

主营：145、453、143五吨王等

地址：石家庄市翟营南大街658号南二环汽车配件大市场内
电话：13603399275

石家庄蓄润达贸易有限公司

主营：一泊解放系列配件141、6110、6113、大、锡柴、平头尖兴汽车配件

地址：石家庄市翟营南大街658号南二环汽车配件大市场内
电话：0311-87919186

石家庄凯阿必汽车部件工贸公司

主营：KBBI汽车传动带、空调滤、雨刮器、火花塞、喇叭

地址：石家庄市翟营南大街658号南二环汽车配件大市场内
电话：0311-87919191

星火烤房驻石家庄服务中心

主营：新时代环保型、豪华型、普通型烤房

地址：石家庄市翟营南大街658号南二环汽车配件大市场内

电话：0311-87919067

石家庄北方双中汽配南二环分部

主营：一汽、解放商用车发动机、变速箱、府盘件及润滑油等

地址：石家庄市翟营南大街658号南二环汽车配件大市场内

电话：0311-87919180

石家庄华利经贸有限公司

主营：丰田发动机配件、海狮全车配件等

地址：石家庄胜利北街230号副3号

电话：0311-86966928

石家庄双环配件批发站

主营：双环来宝SRV、双环吉CEO批发整车配件

地址：石家庄双环汽车制造厂斜对过

电话：0311-86838383

石家庄东兴汽车配件有限公司

主营：汽车配件

地址：河北省晋州市朝阳街36号

电话：0311-4326048

保定远方汽车配件有限公司

主营：长城、田野等配件

地址：河北省保定市三丰中路60号

电话：0312-7512170

石家庄华利经贸有限公司

主营：丰田发动机配件、海狮全车配件等

地址：石家庄市胜利北街230号副3号
电话：0311-86966928

石家庄双环配件批发站

主营：双环来宝SRV、双环吉普CEO、批发整车配件

地址：石家庄市双环汽车制造厂斜对过
电话：0311-86838383

石家庄东兴汽车配件有限公司

主营：汽车配件

地址：河北省晋州市朝阳街36号
电话：0311-43266048

保定市远方汽车配件有限公司

主营：长城、田野等配件

地址：河北省保定市中路60号
电话：0312-7512170

保定永大玻璃钢制品厂

主营：生产雨篷

地址：河北省保定市新保满路16号
电话：03123329391

河北威县轻型汽车零部件制造厂

主营：生产轻型车底盘系列配件

地址：河北威县轻型车零部件制造厂555信箱
电话：0319-81833080

石家庄北方捷利汽车配件经销处

主营：三滤、密封件总汇

地址：石家庄市北外环路 88 号石家庄市机动车配件中心批发市场 B-1-4、5
电话：0311-86838451

金兴半挂汽配经销处

主营：富华、安检、随州、约克等

地址：石家庄市北外环路 88 号石家庄市机动车配件中心批发市场 B-1-3
电话：0311-86836871

石家庄北方丹阳灯具润滑油批发中心

主营：欧曼重卡驾驶室总成驾驶室空壳等

地址：石家庄市北外环路 88 号石家庄市机动车配件中心批发市场 A-4-13、C-4
电话：0311-86857601

石家庄新辉汽车配件经销处

主营：轮胎螺丝、紧固件、底盘件系列等

地址：石家庄市北外环路 88 号石家庄市机动车配件中心批发市场 A-4-10、3-10
电话：0311-86838446

石家庄鑫源汽车配件经销处

主营：一、二汽底盘系列等

地址：石家庄市北外环路 88 号石家庄市机动车配件中心批发市场 A-4-6
电话：0311-86838460

伊身汽配销售处

主营：变速箱：一汽箱、哈齿箱、大同箱等

地址：石家庄市北外环路 88 号石家庄市机动车配件中心批发市场 A-4-4、5
电话：0311-86838462

德国大众装备润滑油

主营：红旗、奥迪 100、200 等

地址：石家庄市翟营南大街 658 号南二环汽车配件大市场内
电话：0311-87919049
87919050

辽宁鞍山轮胎驻石办事处

主营：海峡钢圈、鞍轮轮胎

地址：石家庄市翟营南大街 658 号南二环汽车配件大市场内
电话：0311-87919069

平衡汽保维修设备商行

主营：升降机、平衡机、扒胎机

地址：石家庄市翟营南大街 658 号南二环汽车配件大市场内
电话：0311-87919031

东方福瑞商贸有限公司

主营：金杯、海狮各种配件

地址：石家庄市翟营南大街 658 号南二环汽车配件大市场内
电话：0311-87419080

河北星烁锯总公司驻石办事处

主营："星烁"牌金刚石圆、锯片、硬质合金圆锯片

地址：石家庄市翟营南大街 658 号南二环汽车配件大市场内
电话：0311-87919002

石家庄科剑汽车配件经销处

主营：解放、东风、双桥、斯太尔等汽车电器、发动机等

地址：石家庄市翟营南大街 658 号南二环汽车配件大市场内
电话：0311-87919181

顺达汽配批发部

主营：东风、解放、半挂等

地址：石家庄市翟营南大街 658 号南二环汽车配件大市场内
电话：0311-87919171

三和汽车灯具装具大全

主营：三和汽车养护用品、耐高温红胶等

地址：石家庄市翟营南大街 658 号南二环汽车配件大市场内
电话：13933163889

汽车灯具、保险杠大全

主营：桑塔纳、桑塔纳 2000、超人捷达（王）等

地址：石家庄市翟营南大街 658 号南二环汽车配件大市场内
电话：0311-87919059

华北鑫杰轮胎公司

主营：批发、安装、维修汽车空调

地址：石家庄市翟营南大街 658 号南二环汽车配件大市场内
电话：0311-87693789

石家庄金昌隆机电设备公司

主营：汽车维修设备、检测仪器

地址：石家庄市翟营南大街 658 号南二环汽车配件大市场内
电话：0311-87919096
87919099

东圣汽车配件批发

主营：六、八、九平柴工程王等

地址：石家庄市翟营南大街 658 号南二环汽车配件大市场内
电话：0311-87919098

济南鑫瑞韩国汽配公司

主营：北京现代、索纳塔、伊兰特、途胜，东风悦达起亚：千里马、嘉华、远舰赛拉图，韩国现代、大宇、起亚、奥奔吉普、双龙主席吉普、江淮瑞风，化办各种南韩新款汽车配件

地址：济南市张庄路 132 号刘场汽配城 57 号
电话：0531-86737911
86313118
86857390

济南市隆盛汽配经销处

主营：批发长城系列：金迪尔、赛骏、赛酷，中兴系列：田野、小老虎、旗帜、旗舰，扬子系列：福铃、麒麟、吉奥、双环系列：华北颇北皮卡、大迪、上海万丰、新凯、丹东曙光、黑豹、奥构斯、皮卡、商务车

地址：济南市第庄路刘家扬汽配城 25 号（兴济河汽配城西侧（内线 6359）
电话：0531-86313131
85557359

济南亮达汽配公司

主营：吉利豪情、豪情 203（A）、美日、优利欧、夏利、俊夏利 98（97）上海华普 7130、华普朗风 7150、全车配件

地址：济南市张庄路刘声汽配城 37 号（内线 6356）
电话：0531-85224655
86313163

济南精汇伟业公司

主营：一汽宝来：1.6\1.8\1.8T，新款柴油车 1.9 一汽马自达：M6、新款福美来、普力马、新款高尔夫 1.6、1.8 全车配件

地址：济南市张庄路 299 号汽配市场内 23 号
电话：0531-86216399
85557253

济南京都汽车配件有限公司

主营：一汽哈轻、小骏马、小帅虎、CA1030、1037、CA1041、1047、全车配件及498发动机总成一汽红塔小解放皮卡、小红旗、CA488发动机总成

地址：济南市张庄路132号华东汽配底层45号（东下口下去向东）

电话：0531-85992658

85559045

济南亚太美商贸有限公司

主营：上海别克GL8群威、景程、凯越、雪弗莱 、卡迪莱克、开拓者、福特公司：蒙迪欧、嘉年华、福克斯、林肯、天霸、金牛座、水星、克莱斯勒：大捷龙、太阳午、道奇、三星、公羊、君王，欧美：富豪（沃尔沃）、欧宝、奔驰美国专用机油、轮胎、收瓶、防冻液

地址：济南张庄路132号华东汽配城一层86号

电话：0531-85994139

85559186

济南昌达汽配

主营：法国雷诺、三江雷诺（塔匪克一）风景、梅某娜等全车配件

地址：济南市长庄路132号华东汽棚城底层59号

电话：0531-86678831

济南舒佰通汽车配件有限公司

主营：君威、凯霸占、新世纪、G、GLX、GS、赛欧、二厢、三厢、商务车、GL8，国华轿车：2.0自动档、手动档、2.4豪华型自动档

地址：济南市张庄路132号（华东汽配市场底层66号）

电话：0531-83331865

济南长城南京配件批发中心

主营：扬柴 485、495、4102、4105、4108、3110

地址：济南市张庄路 200 号汽车配件市场 22 号
电话：0531-89888385
85961765

济南捷特汽保有限公司

主营：四轮定位仪、烤漆房、美国汉麦克森升机

地址：济南市张庄路 299 号-107 号
电话：0531-85605696
8578192

济南金富豪通用汽配有限公司

主营：新世纪、G、GL、GLX、GS、君威

地址：济南市张庄路 132 号华东汽配城底层 74 号
电话：0531-86660388
82137096

鑫盛鑫汽配

主营：丰田系列：皇冠 3.0、基仙达 GX、RX，尼桑系列：阳光骐达，减振器，刹车盘

地址：济南市张庄路 132 号华东汽配市场底层 3 号（内线 8125）
电话：0531-85290528
85559125

济南捷特汽保工具有限公司

主营：四轮定位仪、烤漆房、美国汉麦克森升机

地址：济南市张庄路 299 号-107 号
电话：0531-85605696
85787192

济南新雅达汽车配件公司

主营：别克凯越全车配件

地址：济南市张庄路 132 号华东汽配城底层 8 号
电话：0531-89853316
89663276
85559269（内线 8269）

济南瑞丰汽配

主营：长城、田野、大迪、曙光、富迪

地址：张庄路 132 号华东市场底层 51 号
电话：0531-86698291
85559051

济南精汇伟业汽配公司

主营：奥迪：新款 C5A6、02 款、A4、A6，红旗：世纪星、明仕二代、三代、四代

地址：济南市张庄路 299 号汽配市场 23 号
电话：0531-85600108
85557133
85982580

顺 航 汽 配

主营：帕萨特、B4、B5、新秀 2000、超人 3000

地址：济南市张庄路 307 号北老屯汽配城银区 16 排 19、20 号
电话：0531-85983081
83157517

济南联丰汽配商行

主营：丰田：佳美、威驰、皇冠 3.0、132，尼桑皮卡：D21、BA20，广东：三星大发

地址：济南市张庄路 299 号汽配市场 19 号
电话：0531-85986165
85989242

济南宏鑫吉利汽车配件公司

主营：吉利、优利欧、夏利全车配件、华普全车配件

地址：济南市张庄路 132 号华东汽配城广场东首 1 号
电话：0531-85290868
85663826

济南德鑫汽配公司

主营：北京：212、130 全车配件，战旗：6460、2023 全车配件，福田：小卡，欧贝全车配件

地址：济南市张庄路 132 号华东汽配城底层 13-15 号
电话：0531-82276640
89176266
85559015

济南一诺汽车配件销售中心

主营：丰田系列：皇冠：3.0、子弹头 TCT10、VCV10

地址：济南市张庄路 132 号华东汽配市场底层 11 号
电话：0531-89830082
82651571
85559011（内线 8011）

济南丰达零备件销售部

主营：帕萨特 B5、1.8、1.8T、2.0、2.8 全车配件

地址：济南市张庄路 259 号（汽配机电市场中门 37 号）
电话：0531-83156616
83156572
83156573

济南华隆光大汽配经销部

主营：德国大众帕萨特 B4 全车配件

地址：济南市张庄路 132 号汽配市场一层 91 号
电话：0531-85667734
85559191

济南鑫龙夫汽配

主营：桑塔纳、超人、3000 型、B5、波罗

地址：济南市张庄路 132 号汽配市场一层 81 号
电话：0531-85664106
85559181
85559252

济南九鼎鑫实业有限公司

主营：依维柯全车系零部件

地址：济南市张庄路 299-249 号济南汽车配件市场内 49 号一路北
电话：0531-85966466
85557153
86633979

济南润丰达汽车配件有限公司

主营：帕萨特 B5、上海波罗

地址：济南市张庄路 299 号-6 号
电话：0531-85550985
85983875

济南运来汽配

主营：上海波罗 1.4、1.6，德国原厂配件

地址：济南市张庄路 132 号华东汽配城底层 50 层
电话：0531-85662156
85655036

济南华晨汽配

主营：别克、君威、凯越、雪佛兰、赛欧、景程等系列全车配件

地址：山东济南张庄路 299 号汽配市场内 117 号
电话：0531-85991323
85557223

济南中泰现代汽车配件有限公司

主营：北京现代、韩国现代、悦达、
起亚、韩国大字、江淮瑞风

地址：济南市张庄路 285 号老屯汽配市场
内 41 号
电话：0531-85603315
81828018

济南鑫发汽配有限公司

主营：帕萨特、上海大众、桑塔纳、
时代超人、2000 型、3000 型

地址：济南市张庄路 299-118 号
电话：0531-85979486
89688693
88501337

济南鑫发伟业汽配有限公司

主营：宝来、1.6\1.8\1.8T、1.9 柴油
车、高尔夫、捷达王、东方
之子

地址：济南市槐荫区张庄路 299 号
电话：0531-89851512
85975888

济南荣盛汽配

主营：神龙富康、爱丽舍、赛纳配
件大全

地址：济南市张庄路 299 号汽配市场 86
号
电话：0531-85965466
85965477

济南德奥汽配

主营：奥迪四缸、五缸、A8、V8、5000S、C4A62.6、红旗、CA7180A3E、CA7180A2E、帕萨特 B4、B5、1.8

地址：济南市张庄路 299-87 号
电话：0531-85557173
83759743

济南齐创喷涂材料有限公司

主营：德国巴斯夫 R-M 油漆、高飞汽车漆、英国特威喷枪、日本戴维维持喷枪

地址：济南市张庄路 299-94 室
电话：0531-85988151
85557218

济南峰越泰汽配有限公司

主营：豹王系列三滤、油封、刹车片、阪东皮带、佛山照明、博世系列产品

地址：济南市张庄路 299 号张庄汽配城 120 号
电话：0531-85975099
85976988

济南新友和汽车配件有限公司

主营：丰田、尼桑、各种发动机配件、底盘件等

地址：济南市张庄路 299 号市场 42 号
电话：0531-85984524
85602486

济南通润发实业有限公司

主营：三菱系列、猎豹系列、北京速跑、欧蓝德、东南得利卡、富利卡、菱动、风行

地址：济南市张庄路 299 号济南汽车配件市场内 44 号
电话：0531-85669686
85596937

济南南大洋奔驰宝马汽配商行

主营：德国奔驰、宝马车件

地址：济南市张庄路 299 号-55 室
电话：0531-85983119
85557211

济南金成汽配

主营：帕萨特 B5、1.8、1.8T、2.0、2.8、旋风、波罗

地址：济南市张庄路 299 号汽车配件市场 27 号
电话：0531-85998277
85990231
85559173

济南鑫金鑫汽配有限公司

主营：五十铃汽车配件、天皇 100P、日立、小松挖掘机、叉车 C240、各种配件

地址：济南市张庄路 132 号华东汽配市场东入口第一家 42 号
电话：0531-85661186
85881243

安徽华阳通宝汽配销售中（济南磊鑫汽配专卖）

主营：北斗星、华阳、通宝、赛福、昌铃王、长安、CM8 全车配件

地址：济南市张庄路 132 号华东汽配市场底层 10 号
电话：0531-86868651
86863889
85559010

济南裕顺达汽配商行

主营：长安羚羊、长安奥拓、长安 CM8、柳州五菱、雪佛兰、五菱阳光

地址：地址：济南市张庄路 132 号华东汽配市场内
电话：0531-82577045
83096729
85559313

济南华艺汽配商行

主营：奥迪、红旗、一汽马自达 M6 全车配件，大量批发：桑塔纳、2000、B5、奥迪

地址：济南市张庄路 132 号华东汽配市场底层 8 号
电话：0531-85966438
85510351
85559320（内线 8320）

济南金北通汽车配件有限公司

主营：上海别克、新世纪、G、GL、GLX、GS、君威、凯越、商务车、赛欧、雪佛兰赛欧、景程

地址：济南市张庄路 299 号汽配市场内
电话：0531-85966438
85961038

济南顺达新型面包汽配公司

主营：长安系列：长安之星、长安羚羊，哈飞系列：哈飞中意、哈飞民意，昌河系列:北斗星、昌铃王，一汽吉轻：佳宝 6360、6361，柳州系列：五菱之光、五菱 6360

地址：济南市张庄路 132 号华东汽配市场一层 85 号

电话：0531-85668766
85559185

济南新世源汽配商行

主营：发动机、发电机、汽车空调配件、丰田、本田、马自达

地址：济南市张庄路 132 号华东汽配市场底层 44 号

电话：0531-82294225
85559044

济南全顺福汽车配件有限公司

主营：五十铃、江铃、庆龄、陆风、全顺

地址：济南市张庄路 299 号济南配件市场 9 号

电话：0531-85978543
85604014

济南新奥运汽配有限公司

主营：丰田吉普 400、4500、4700，丰田中巴车，四川考斯特，天津丰田

地址:济南市张庄路 299 号汽配市场内 36 号

电话：0531-85966943
85986156
85601847

济南联丰汽配商行

主营：丰田：LS400、佳美、威驰、皇冠 3.0、132，尼桑皮卡：D21/N20/A15,广东：三星大发、东南得力卡、批发尼桑、丰田、三菱机油

地址：济南市张庄路 299 号汽配市场 19 号

电话：0531-85986165
85989242

上海可立洁汽车配件有限公司

主营：奥迪红旗、日本三菱、丰田尼桑、马自达、五十铃、本田、广州本田、韩国现代、北京现代、大宇

地址：济南市张庄路刘场汽配城 43 号

电话：0531-85723528
85758950
86313195

济南新广德进口汽配公司

主营：广州本田、雅阁、飞度、奥德赛，东风本田、CRV，东风悦达起亚，千里马、普来特、远舰、嘉华、赛拉图、北京现代、索纳塔 2.0、2.7、伊兰特 1.6、途胜

地址：济南市张庄路 132 号华东汽配城 D74 号

电话：0531-85136747
81802011

济南恒润汽配公司

主营：吉利美日：吉利豪情、吉利优利欧、上海华普、杰士达、夏利、美鹿全车配件

地址：济南市张庄路 307 号老屯新汽配城 2 排 22-1 号

电话：0531-83152017
83153019
82533648

南润商经贸有限公司分公司

主营：固特异、飞劲、米其林、回力、马牌、韩泰轮胎

地址：济南市张庄路 299-47 室
电话：0531-85981686
85557151

济南金江铃商贸有限公司

主营：天王 100P、NKR 双排、单排、吉普 UBS、日本原装、TFR、WFR、NHR、UBS、NKR

地址：济南市张庄路 299 号济南汽配市场 109 号
电话：0531-85557091
85970024

济南金顺汽配销售公司

主营：君威、凯越、赛欧、卡迪拉克、雪佛兰、景程、斯帕克、子弹头、福特、蒙迪欧、嘉年华、林肯、天霸、克莱斯勒、君王、大捷龙、道奇

地址：济南市张庄路 285-65 号
电话：0531-85661833
83156680

济南日升汽车配件有限公司

主营：广州雅阁、日本雅阁、思域、郎程、奔驰

地址：济南市张庄路 132 号华东汽配市场一层 25 号
电话：0531-85961028
85559236

济南华鑫汽车配件有限公司

主营：北京现代系列、索纳塔、伊兰特、途胜、东风悦达起亚、远舰、千里马、嘉华

地址：济南市张庄路 299-6 号
电话：0531-85982404
85557312

济南永泰汽配

主营：风度、风神蓝鸟、阳光、公爵、皮卡、巴宁、皇冠、佳美

地址：济南市张庄路 299 号内 51 号
电话：0531-86656050
85557262

济南汽配市场新宏宇经营部

主营：瑞风商务、北京现代、悦达起亚、华泰吉普、韩国现代、大宇、起亚、双龙、全车配件

地址：济南市张庄路 299 号内 40 号
电话：0531-85605318
85557154

济南永宏顺汽配

主营：奥迪 C5A6、03 款、04 款、红旗、明仕、世纪星、帕萨特

地址：山东老屯汽配城南 3 排 9 号
电话：0531-86308620
82533652

济南跃进配件专卖店

主营：小老虎、帅虎、大力神系列配件、跃进、131、1020、1028、1038、1063、钣金件、灯具、保险杠、塑料件 、驾驶室总成

地址：济南市张庄路 307 号北老屯汽配市场南区二排 17 号
电话：0531-82533081
83157875

济南新升汽配

主营：皮卡、金杯海狮、丰田、尼桑

地址：济南市张庄路老屯汽配城南区 1 排 10-11 号
电话：0531-83157987
82533328

济南南大洋奔驰宝马汽配商行

主营：德国奔驰、宝马轿车配件

地址：济南市张庄路 299-55 室
电话：0531-85983119

济南天信汽配有限公司

主营：奥迪 80、90、5000S、四缸、五缸、A6、V6、C5A6、红旗、电喷、化油器、明仕一代、二代、三代

地址：济南市老屯汽配城南区 1 排 16 号
电话：0531-83157820
86308621

济南正阳现代汽配

主营：伊兰特、索纳塔、途胜、御翔

地址：济南市张庄路 132 号华东汽配市场一层 24 号
电话：0531-85667771　81825051

济南福泰汽配

主营：北汽福田、时代轻卡、时代领航、时代小卡、时代微卡、时代自卸

地址：济南市老屯汽配城南区 1 排 1-2 号
电话：0531-82533587　82533589

济南兴华汽车配件有限公司

主营：东风系列 140、145、康明斯、斯太尔

地址：济南市张庄路 307 号老屯汽配城 1 排 13-16 号
电话：0531-85968480
83158295

济南顺鑫汽车配件经销处

主营：上海别克系列纯正配件、广州本田、东风本田原厂配件

地址：济南市张庄路 307 号老屯汽配城南区 4 排 16 号
电话：0531-83157960
85887989
82533380

维利汽配（济南斯柯达专卖）

主营：斯柯达长箱短箱全车配件、各种汽车轴承、各种进排气门

地址：济南市张庄路 307 号老屯汽配城正门 4 排 19-20 号

电话：0531-86586357
83158180

济南普利汽车配件有限公
（南京菲亚特汽配销售）

主营：南京菲亚特、派利奥、西耶那、周末风

地址：济南市张庄路 132 号汽车配件市场

电话：0531-82636101
86313128

济南大鑫河汽配有限公司
别克配件分公司

主营：君威、荣御、GL8、新世纪、陆尊、雪佛兰系列：新赛欧、景程、乐骋

地址：济南市张庄路 307 号老屯汽配城 2 排 14-15 号

电话：0531-83157577
83157877

济南祥瑞汽车配件有限公司

主营：北京现代、途胜、起亚、千里马、酷派

地址：济南市张庄路 307 号老屯汽配城 9 排 10、11 号

电话：0531-85991700
82533357
83157515

济南天成汽车配件销售部

主营：纯正配件、桑塔纳、2000 型、时代超人、帕萨特 B5

地址：济南市张庄路 299 号汽配市场 16 号
电话：0531-85981366
85977377
83157819
85557119

济南鲁洋汽车服务有限公司

主营：派利奥、西耶那、周末风、英格尔、优尼柯、新雅图

地址：济南市张庄路 299 号汽配市场 73 号
电话:0531-85979740
85661008

济南上海大众汽车零部件销售服务有限公司

主营：桑塔纳 3000、帕萨特、奥迪、红旗

地址:济南市张庄路 307 号老屯汽配城 18 排 21、22 号
电话：0531-85604619
85661579

济南天顺汽配经销处

主营：桑塔纳 2000、3000 型、时代超人、捷达、捷达王

地址:济南市张庄路 307 号老屯汽配城 20 排 21-22 号
电话：0531-82533305
82533477

济南新天发汽车配件有限公司

主营：桑塔纳、时代超人、捷达王、红旗、奥迪

地址：济南市张庄路 307 号老屯汽配城 20 排 27-28 号
电话：0531-83158277
83158288
83157551

中国重汽配件老屯销售中心

主营：斯太尔全车配件及各种汽车配件

地址：济南市张庄路 307 号老屯汽配城 11 排 10 号
电话：0531-83157618
86308782

济南鑫华进口汽配公司

主营：丰田、马自达、三菱、本田、奔驰、宝马全配件

地址：济南市张庄路 307 号老屯汽配城 13 排 8 号
电话：0531-83158176
83158178
83157510

济南富菱汽车配件商行

主营：三菱吉普系列、猎豹吉普系列、东南系列

地址：济南市张庄路 307 号老屯汽配城 11 排 11 号
电话：0531-83157480
83157490

山东汇通汽车配件商行

主营：东风雪铁龙、富康、爱丽舍、标志、本田、尼桑

地址：济南市张庄路新老屯汽配城金区 11 排 13 号
电话：0531-83157739
86292181
83157582

济南富达汽配公司

主营：东南福利卡、得力卡、三菱吉普、三菱太空

地址：济南市张庄路 307 号老屯汽配城北区 8 排 15 号
电话：0531-83157739
86292181
83157582

济南永鑫汽配

主营：吉利、美日、豪情优利欧、重庆长安之星全车纯正零部件

地址：济南市张庄路 307 号老屯汽配城 8 排 15 号
电话：0531-82533408
83157657

济南凯达汽配商行

主营：上海大众：帕萨特 B5、时代超人、2000 型、3000 型

地址：济南市张庄路 307 号老屯汽配城 9 排 8-9 号
电话：0531-83158170
83158175
82533017

济南金太平轮胎有限公司

主营：邓禄普、韩泰、回力、双钱、锦湖、京轮轮胎

地址：济南市张庄路刘场汽配 130 号（华东汽配西临）
电话：0531-85660056　85557155
86313590（内线 6155）

济南新之杰汽配商行

主营：刹车片、皮带、滤清器、离合器

地址：济南市张庄路 132 号华东汽配市场底层 76 号
电话：0531-86605797
86805797

中国济南新美鹰城汽车烤漆美容中心

主营：美国格茨兰克化学公司晶亮釉中国总代理

地址：济南市张庄路刘场汽配城 A-1 号
电话：0531-86313506
85567766
87980392

金 昌 达 汽 配

主营：日本车系台湾灯具、机盖、叶子板、中网

地址：济南市张庄路华东汽配市场底层 69 号
电话：0531-85160679　85292938
85559069（内线 8069）

济南槐荫鑫汇汽配商行

主营：三滤、刹车片、离合器片

地址：济南市张庄路 132 号华东汽配市场一层 80 号
电话：0531-86209658
85559109

济南新万达汽配

主营：广东加华牌各种胶套及刹车片、天马活塞、天岳电机及电动升降器

地址：济南市张庄路 299 号市场内 79 号
电话：0531-85996665
85611100
85996667

济南欣可威汽车服务有限公司

主营:上海波罗、北京现代、现代特拉卡、现代圣达菲

地址:济南市张庄路 307 号老屯汽配城 16 排 1-4 号
电话：0531-82533191
82533267

济南天润龙鑫汽配公司

主营：帕萨特 B5、1.8、2.0、桑塔纳、新秀、超人、骄子全车纯正配件

地址:济南市张庄路 307 号老屯汽配城 16 排 7 号
电话：0531-83157868
83158268

济南鑫颐源通汽车空调配件

主营：批发小轿车、大客车、货车、设计生产工程车、保鲜车、指挥车等特种车型成套空调

地址：济南市张庄路刘场汽配城 1 号
电话：0531-86313132
85668775

济南市鑫三成汽配经销处

主营：帕萨特 B5、桑塔纳、时代超人、俊杰、高尔

地址：济南市张庄路刘场汽配市场 7 号
电话：0531-86313166
85557399
85660426

福特纯正配件

主营：全顺、蒙迪欧、嘉年华、翼虎、福克斯

地址：济南市张庄路 132 号华东汽配市场一层 66 号
电话：0531-85996880

济南全顺福汽车配件有限公司

主营：汽车配件

地址：济南市张庄路 299 号院内 9 号（原佳禾店）
电话：0531-85978543
85604014

济南龙发汽配公司

主营：皇冠、佳美、凌志、海狮、风度、风神

地址：一部：济南市张庄路 132 号华东汽配城一层 90 号
二部：张庄路兴济河西侧新老屯汽配城 16 排 6 号

电话：0531-85666840
0531-83157860

山东现宇商贸有限公司

主营：现代、起亚、大宇、双龙、瑞风

地址：济南市张庄路 299 号济南汽车配件市场东一号

电话：0531-85978878
85978616

济南长庚汽车配件有限公司

主营：丰田 8A 电喷发动机、三缸电喷发动机、吉利、美日、优利欧汽车零部件及总成

地址：济南市张庄路 299 号汽配市场内 123 号

电话：0531-85978666
85557110

济南新广源汽车配件销售中心

主营：雅阁、朗程、里程、思域、公爵、蓝鸟

地址：济南市张庄路 299 号市场内 46 号，老屯汽配城 9 排 16-26 号

电话：0531-85553666
85553672

济南美福达实业有发公司

主营：别克、凯迪莱克、雪佛兰、捷龙、三星、宝马

地址：济南市张庄路 307 号 老屯汽配城外南区 25 排 3 号
电话：0531-86308177
86308537

济南永信行汽配有限公司

主营：上海大众、帕萨特 B5 全车配件、上海大众 POLO 全车配件

地址：济南市张庄路老屯汽配市场南三排 1-3 号
电话：0531-85975718
83157659

济南亚飞汽配批发中心

主营：一汽大众、冰花、奥威、红岩

地址：济南段店新汽配城西四厅 20 号

电话：0531-87984686
82341592

济南中保美国汽配公司

主营：君威、嘉年华、林肯、卡迪拉克、欧宝、捷龙

地址：济南市张庄路 132 号华东汽配市场内 21 号
电话：0531-85662343
85559121

济南汽车配件万达汽配供应站

主营：捷达、捷达王、高尔夫、宝来、奇瑞

地址：济南市张庄路 132 号华东汽配市场一层 12 号
电话：0531-85660374
85559323

济南舜钰汽配公司

主营：悦达、起亚系列、普莱特、千里马、远舰

地址：济南市张庄路 132 号华东汽配市场底层 9 号
电话：0531-85559009
88503388

玲珑轮胎济南经销服务中心

主营：轮胎批发玲珑、韩泰、米其林、固特异、回力

地址：济南市工业南路 64 号华达汽配城五区 048 号
电话：0531-87028819
88522342

济南明洋进口汽配有限公司

主营：风神蓝鸟、智尊、风度、阳光、凌志、皇冠

地址：济南市张庄路 132 号华东汽配城一层 55 号
电话：0531-85662368
86206166

济南克莱汽配

主营：飞利浦、欧司朗、鹰牌、宝丽、灯芯

地址：一部老屯汽配城 2 排 11 号、二部华东汽配城 1 层 6 号
电话：0531-83157920
85559102

济南华智汽配公司

主营：日本三菱系列、长丰猎豹系列、北京速路、欧蓝德系列

地址：济南市张庄路 132 号华东汽配市场一层 8 号
电话：0531-85662340
85662640

济南新大陆汽配

主营：发动机、变速箱、缸盖、缸体及全车拆车配件

地址：山东老屯新汽配城 13 排 17 号
电话：0531-83158191
88325082

山东华达汽配城

主营：江铃、庆铃、五十铃、皮卡

地址：济南轻骑路 64 号山东华达汽车配件城内西头五区 58 号
电话：0531-87028813

济南飞龙利建经贸有限公司

主营：法国米其林、日本石桥、横滨、美国固特异

地址：工业南路 64 号华达汽配城五区 158 号

电话：0531-88583860
87028820

辰龙汽车配件修理中心

主营：一汽大众、上汽大众、四轮定位、电脑解码

地址：工业南路 64 号华达汽配城西门第 1 户

电话：0531-87028902
88583880

济南顺通轮胎经营部

主营：法国米其林轮胎、日本普利司通、上海新回力、韩国韩泰、固特异

地址：工业南路 64 号华达汽配城一区 208 号

电话：0531-8934698

济南宏图汽配批发部

主营：上海奇瑞、一汽小解放

地址：工业南路 64 号华达汽配城三区 038 号

电话：0531-88583831
87028810

鑫源恒汽配

主营：帕萨特、帕萨特 B5、C5、捷达、时代超人、桑塔纳等全车配件

地址：济南市轻骑路 64 号华达汽配城三区 098 号
电话：0531-88927128
86807909
87028826

济南润丰汽车用品商行

主营：汽车空调配件、雪种 134a、冷油、维修工具

地址：济南市工业南路 64 号
电话：0531-87028878

济南天利轮胎总汇

主营：各种轮胎、内胎、垫带、正新、回力、成山等名优轮胎及钢圈

地址：济南市轻骑路 64 号华达汽配城北楼 018
电话：0531-86236756
87028815

济南东环汽配经销处

主营：北京轻型系列、一汽解放系列、各种钢板

地址：北园大街 69 号山东汽车城 2128 号
电话：0531-88583835
87028823

济南天川汽配有限公司

厦门德汉马达电机山东销售处

主营：起动机、发电机，丰田系列，

五十铃系列

地址：济南市槐荫区张庄路 132 号
电话：0531-85550903
85559151
85559302

济南金麒汽配

主营：君威、凯越、赛欧、GL8

地址：张庄路 132 号华东汽配城底层 12 号
电话：0531-86787358
85559326

上海大众特约维修站

主营：上海大众系列

地址：济南市工业南路 64 号华达汽配城一区 198 号
电话：0531-88173690
87028805

济南信义汽车玻璃经销中心

主营：福建福耀汽车玻璃、深圳信义汽车玻璃

地址：总店：北园大街 69 号山东汽车城内 2068 室
华达店：工业南路华达汽配城
段店店：段店汽配市场
电话：0531-88966190
88195557
87588207

济南天济汽配商行

主营：奥迪、红旗、原厂备件及全车覆盖件

地址：济南市工业南路 64 号华达汽配城一区 088 号
电话：0531-87028856

济南振鲁汽配

主营：夏利、吉利、桑塔纳、捷达、新松花江

地址：济南市工业南路 64 号华达汽配城 64 号
电话：0531-88932800
88220375

济南福友轮胎有限公司

主营：各种型号载重胎、全钢胎、半钢胎

地址：济南市工业南路 64 号华达汽配城 68 号
电话：0531-88938276
88963834

济南荣合汽车用品公司

主营：明邦油漆、杜邦红灰、汽车漆电脑调色

地址：工业南路 64 号华达汽配城内五区 98 号
电话：0531-88935574
87028809

济南新广发汽配

主营：柳州五菱、五菱之光、电喷化油器

地址：济南市张庄路 285 号内 39 号
电话：0531-83156671
85568561

济 南 鑫 洲 汽 配

主营：雅阁、朗程、里程、思域、广州本田

地址：济南市张庄路 132 号华东汽配城 D-17 号
电话：0531-85560658
86862786
85559013

济南捷发汽配有限公司

主营：一汽宝来、高尔夫、捷达（王）、上汽奇瑞、风云、QQ

地址：济南市北园大街 69 号山东汽车城东院（A2、168 号）
电话：0531-88664486
88970667

安嵘轴承驻济南调剂中心

主营：轴承

地址：济南市南辛庄 10 号
电话：0531-87199103
87157869

济南宏鑫源汽配商行

主营：凯越、君威、赛欧、景程等全车配件

地址：山东济南新老屯汽配城南 7 排 7 号
电话：0531-83152538
83152539
83158569

杭州飞鹰摩擦材料有限公司济南办事处

上海辉盟汽车配件有限公司济南办事处

主营：各种汽车离合器片、压盘机盖总成、各种汽车刹车片、刹车蹄

地址：济南老屯汽配城区 22 排 4-6 号
电话：0531-83157738
83193075

济南鑫翔奥汽配公司

主营：马自达 323、626、福达皮卡 B2000

地址：山东老屯新汽配南区二排 7 号
电话：0531-82533487
83152586

上海佳源胶业有限公司济南办事处

主营：JY-白色耐油密封胶、JY-系列厌氧胶、JY-AB 胶

地址：山东老屯汽配城地区 6 排 8 号
电话：0531-82533126
82533590

济南永达汽车音响总批发

主营：飞驰、索尔、伟伯、红武士喇叭、天线

地址：济南市北园路 69 号省汽车城 A7-018 号
济兖路段店汽配城东四厅 18 号
电话：0531-88674001
82341132

济南宏发汽配公司

主营：北京现代、起亚千里马、江淮瑞风、南京依维柯

地址：张庄路 299 号汽配市场内 25 号
电话：0531-83157851
82533051

济南新利汽配有限公司

主营：凌志、佳美、皇冠、威驰、花冠、风度、风神、公爵王

地址：济南市张庄路 132 号（华东汽配市场一层 7 号）
电话：0531-85551601
85787589
85559130

济南龙泰宝来汽配有限公司

主营：宝来配件、高尔夫配件捷达王配件

地址：济南市张庄路华东汽配市场一层 3、5 号
电话：0531-85559103
85559105

浙江汽车减震器厂济南供应站

主营：捷达、小红旗、奥迪、桑塔纳、夏利

地址：济南市天桥无影山中路 121 号天福苑小区 B 座 5 号
电话：0531-85663462
85883462
13905319348

三中汽配公司

主营：微型系列、皮卡系列、进口国产车型减震器

地址：济南老屯汽配城南区七排 15 号
电话：0531-83157912
86230518

济南中德轿车汽车公司

主营：奥迪 A6、A6L、A4、A8、100、200，红旗，名仕，世纪星

地址：济南市张庄路 299 号汽配市场内 11 号
电话：0531-85557318
85557308

济南华奥汽配公司

主营：奥迪 C5A6、1.8、1.8T、奥迪 C6A6L、2.0T 纯正配件

地址：张庄路 307 号北老屯汽配城 12 排 25-26 号
电话：0531-82158151
83158152

济南长江汽配销售中心

主营：皮卡 D21、D22，帕拉丁，风神，蓝鸟，阳光

地址：济南老屯汽配城金区 7 排 10 号
电话：0531-83152587
83152597

济南顺达汽配有限公司

主营：雅阁、思域、郎程、里程、广州本田

地址：济南仕张庄路 307 号老屯汽配城金街 195 号
电话：0531-86812246
86706900
82533015

济南玉昌汽配

主营：比亚迪、福莱尔、华普 303、全车配件

地址：济南仕老屯汽配城 9 排 13 号
电话：0531-82533661
82533301

济南亚东进口汽车配件公司

主营：三菱系列、东南汽车、东风风行全车配件

地址：张庄路 307 号北老屯新汽配城金区 8 排 7 号
电话：0531-83157830
82533530

宁波万航汽配制造有限公司

（中外合资）

主营：各种国产车系之球笼、半轴，

大众车系之：水泵、机油头、

球头

地址：济南市老屯汽配市场 19 号
电话：0531-85661921
88029182

山东亚星汽车配件商店

主营：凌志、佳美、皇冠、威驰、

花冠、子弹头

地址：济南北园大街 69 号山东汽车城东院 B1-058 号
电话：0531-88977678
88602319

济南华旅汽配有限公司

主营：日本进口重型汽车配件，日

野，三菱，五十铃，尼桑

地址：济南市北路 69 号汽车城 B4-018 室
电话：0531-88977842
88962949
88610668

湖北枣阳群益摩擦材料有限公司特约经销处

主营：东风、解放、斯太尔、黄河、

客车、耐磨王

地址：济南张庄 路 307 号北老屯汽配城南区 23 排 1 号
电话：0531-86308673
83158273

辽阳“奔马”传动带公司驻济南办事处

主营：辽阳“奔马”风戾带、空调带、时规带、油管

地址：济南市张庄路 132 号刘场汽配城 41 号
电话：0531-86313211
86313233

济南瑞泰汽配

主营：起亚千里马、别克凯越 6、北京现代、韩国大宇

地址：济南市张庄路 132 号华东汽配城一层 61 号
电话：0531-85666436
85559161

济南金立超汽配

主营：长城系列、田野系列、一汽发动机配件、机油、电瓶

地址：济南市北园大街 69 号省汽车城东院内 B4-048
电话：0531-88677652
86272666

济南华升汽配

主营：金杯 、丰田、锐驰、福田风景海狮

地址：北园路 69 号省汽车城东院内 B4-048
电话：0531-88960879
83169982
85333676

衡水天谊汽车配件公司
（驻济南办事处）

主营：国产、进口各种轿车、微型车、轻型车的刹车蹄片总成及刹车片

地址：山东老屯汽配城金南区 1 排 2 号
电话：0531-83153066

济南新亿鑫汽配商行

主营：丰田、捷达、奥拓、红旗、起动机、发电机

地址：济南张庄路华东汽配市场底层 54 号
电话：0531-85551704
85559054

济南润华通用汽配专卖店

主营：上海别克、海南马自达、一汽马自达

地址：济南市张庄路 132 号华东汽配城 D52 号
电话：0531-85151319
85151329

济南鲁韩汽车配件专卖

主营：索纳塔 2.0、2.7，伊兰特 1.6、1.8

地址：济南市张庄路 299 号内 69 号
电话：0531-85996668
85980208

济南鲲鹏汽配商行

主营：上海大众、奥迪、红旗、捷达（王）、保险杠、灯具

地址：济南市张庄路 132 号华东汽配城 D 层 101、103 号
电话：0531-88666269 / 85666589

济南华海汽配、装具经营部

主营：尼桑、丰田、佳美、凌志系列配件，济南威铬尔润滑油代理

地址：济南市北园大街 69 号山东汽车城东厅 B1-068-078-088
电话：0531-88662508 / 8669398

鑫丰运汽配经销服务中心

主营：丰田系列各种款车型配件，本田系列各款车型配件

地址：济南市北园大街 69 号山东汽车城东院 A3-068 号
电话：0531-8621208

济南坚城汽车配件有限公司

主营：上海别克、凯越等

地址：济南北园大街 69 号山东汽车城东院 8-1058 号
电话：0531-88978657
13906418010

济南大华汽配

主营：上海别克系列配件、美国通用、福特、欧宝配件

地址：济南市北园大街 69 号省汽车城东院 A4-028
电话：0531-88601206
88601260

济南鲁鑫汽车安全玻璃经营部

主营：批发零售各种国产、进口汽车玻璃、孤形夹层

地址：北园大街 69 号山东汽车城东院 A4-068 号
电话：0531-82512810
13864089812

济南三川红枫经贸有限公司

主营：美国别克、北京 213、广州本田、广州标致

地址：北园大街 60 号汽车城东院 A5 楼 078、088、098
电话：0531-8966888
8977666

济南市历城区美华轿车维修站

主营：上海别克各种车型全车配件

地址：北园大街 69 号山东汽车城东院 、东 4 排 A5-018
电话：0531-8676563
8676670

润达汽杨中心

主营：桑塔纳 2000、3000、高尔、波罗

地址：山东省济南市北园路 69 号（汽车城）东院 A6-038
电话：0531-3169918
6875170

济南新华瑞韩国汽配公司

主营：北京现代、悦达、千里马、瑞风、韩国现代

地址：北园大街 69 号山东汽车城东院 A6068 号
电话：0531-88964258
83168961

济南市誉远汽配经营部

主营：丰田、尼桑、本田配件、佳通轮胎

地址：北园大街 69 号山东汽车城 A6-078 号
电话：0531-88967558
83168961

济南仁义达经销部

主营：富康全车配件，爱丽合，毕加索

地址：济南市张庄路 299 号汽车配件市场内 4 号
电话：0531-85988498
85557141

青岛青山汽配济南经销处

主营：海业滤清器、刹车蹄片、离合器片、皮带、压板

地址：老屯汽配城 4 排 21-22
电话：0531-88325786

济南华鑫汽配经销处

主营：东风系列全车件、东风小康、风神 6102、南充 6102

地址：济南张庄路 307 号北老屯汽配城银区 4 排 23-26 号
电话：0531-85667327
83157977

中国贵航集团汽车零部件销售有限公司济南办事处

主营：各种车型水箱、冷凝器、消声器、开关

地址：山东老屯汽配城二排 9 号
电话：0531-83533200
83158210

济南华信汽配有限公司

主营：客车盆角齿系列、亚星、金龙、江淮、五十铃、中通

地址：山东老屯汽配城二排 8 号
电话：0531-83157713
13806416979

济南顺鑫汽配商行

主营：五十铃系列、水泥搅拌车、重型汽车工和机械车纯正零件

地址：济南市张庄路 307 号兴济河西路老汽配城南区 4 排 16 号
电话：0531-5961760

济南华威汽配商贸有限公司分公司

主营：上涨别克、赛欧、商务车

地址：总：济南北园路 69 号汽配城东院 B5—38 号
分：轻骑路 64 号一区 058 号
电话：0531-87028863
82122371

粤鹏汽车装修部

主营：真皮座套大全、防爆太阳膜、后玻璃整贴

地址：济南市北园路 69 号山东汽车城东院 B-078 号
电话：0531-88679567

济南金杯汽配批发中心

主营：沈阳金杯海狮全车配件、丰田、金龙、牡丹

地址：济南北园大街 69 号汽车城东院 B4-068 号
电话：0531-88663018
86723395

济南文奥汽车配件有限公司

主营：奥迪、红旗全车配件大全

地址：北园路 69 号 B3-018 号
电话：0531-88670952
88666294

济南东腾汽配·五十铃配件批发中心

主营：宝典、陆风、宝威、皮卡、商务货车

地址：济南市北园大街 69 号山东汽配城东院 B3-028
电话：0531-86616468

佳泰福田汽配经销处

主营：朝柴、杨动、莱动、常柴、新昌、时代工程车、各种发动机总成

地址：济南北园路 69 号省汽车城配件市场 B3-058 号
电话：0531-88664835
82512867
13954162534

济南华达集团进口轿车配件公司

主营：上海别克、赛欧、君威、通用、福特、克莱斯勒

地址：济南北园大街 69 号山东汽车城东院 8-1058 号
电话：0531-88978657
88978658

金杯海狮大全维修中心

主营：金杯海狮、福田海狮、丰田海狮、夏门金龙

地址：济南北园汽车城东院第一排西首8-1048
电话：0531-88101120

济南君丰汽车配件经营部

主营：一汽、海南、日本、马自达全车配件

地址：济南段兴西路1号.刘场汽配城99号
电话：0531-85978369
81882371

济南鑫恒达汽车配件销售中心

主营：南京菲亚特、金杯海狮、中华轿车、上海华普

地址:济南市张庄路大业兴济河一层B区006号
电话：0531-83157112
85557311

晨光汽配商行

主营：美国通用、福特、雪佛兰、欧宝全车配件，专用机油、STF油、防冻液

地址：北园路汽车城内
电话：0531-88976899
82170650
83168994

上汽通用五菱汽车配件销售中心

主营：柳州五菱、五菱之光、五菱阳光、雪佛兰等全车原厂配套配件

地址：济南市张庄路 258 号东 1-5，济南市张庄路刘场汽配市场 59 号
电话：0531-83166566
83166599

济南鑫汇汽配

主营：吉利、美日、优利欧、豪情、小公主、亮景、亮星、上海华普、杰士达、美鹿

地址：济南张庄路 132 号华东汽配城内底 67 号
电话：0531-86759833
82587621

济南金富豪汽配经营部

主营：蒙迪欧、嘉年华、翼虎

地址：济南市张庄路 132 号东汽配城底层 74 号
电话：0531-86660388
82137096

济南鑫和顺汽配

主营：北京现代：索纳塔、伊兰特、途胜、特拉卡东风悦达起亚：商务车、千里马

地址：张庄路 132 号东底层 98 号
电话：0531-82939732

济南方正汽车配件公司

主营：上海别克君威、凯越、赛欧G、GL、GLS、GS新世纪、GL8、赛欧

地址：张庄路兴济河汽配城A区012号
电话：0531-86313379
85557305

济南鑫洲汽配

主营：雅阁、飞度、思域、朗程、里程、尼桑、丰田

地址：济南市张庄路132号华东汽配城D-17号
电话：0531-85560658
86862786

迅达汽保工具总经销

主营：工具、举升机、四轮定位、轮胎平衡、扒胎机、半轴套管拉压机、机油格板手

地址：济南市张庄路132号华东汽配市场内底层93号老屯市场南区1排4-5
电话：0531-83157690
82533175

济南鑫鹏汽配

主营：丰田：威驰、8A、新款、花冠，尼桑：皮卡、公爵、风度、蓝鸟、巴宁

地址：济南市张庄路132号华东汽配市场底层西排88号
电话：0531-5981418
6813175

济南康福特汽车电器总汇

主营：发电机、组合开关、继电器、

刹车开关、起动机转向开关

刮水器、倒车开关、马达齿

地址：一部：张庄路华东汽配城底层 30 号二部：老屯新汽配城金区 10 排 6、7、8 号
电话：0531-85667779
83157702

济南新视界汽车用品批发商行

主营：车真宝防盗器山东总代理，

芳达汽车脚垫山东总代理，

时俊 PVC 脚垫

地址：济南市张庄路 132 号华东汽配城 D-27 号
电话：0531-82127219
85559027

济南吉顺达汽配

主营：帕萨特 B5、宝来、桑塔纳、

超人、轿子、3000 波罗高尔

地址：济南市张庄路 132 号华东汽配市场底层西排 98 号
电话：0531-86736327

济南华东佳威汽配

主营：佳宝：6350、6360、6361，

昌河：昌铃王、海豚、海象、

松花江系列、长安系列

地址：济南张庄路 132 号华东汽配市场 D 层 102 号
电话：0531-85559321
82172776

济南新晨汽配公司

主营：金杯海狮、皮卡大全、2T、3#、4T、1RZ、2RZ、单点、多点、491、6480 系列

地址：济南市张庄路 132 号华东汽配城底层 22 号
电话：0531-85559022

济南鑫和顺汽配

主营：索纳塔、伊兰特、途胜、圣达菲

地址：张庄路 132 号华东底层 98 号
电话：0531-82939732
85033225

济南旭阳润滑油商行

主营：专用防冻油，天津华路福红色车用机油，埃索系列汽车用油

地址：济南市张庄路 132 号华东汽配城 D 层 2 号（西门斜入口）
电话：0531-85559002

济南市鑫三成汽配

主营：帕萨特 B5、1.8、1.8T、2.0、V6，兼营普桑、2000 型、时代超人

地址：张庄路 132 号刘场汽配市场 7 号
电话：0531-86313166
5975555

济南同鑫汽配

主营：神龙富康、富康988、爱丽舍、东风小王子、东风小康

地址：济南市张庄路兴济河 8 号楼 B 区 028 号
电话：0531-86860367

济南方正汽车配件公司

主营：上海别克、君威、凯越、赛欧G、GL、GLX、GS、新世纪、GL8、赛欧

地址：张庄路兴济河汽配城 A 区 012 号
电话：0531-86313379
85557305

济南润泰汽配

主营：北京现代、起亚、千里马、东风悦达、江淮瑞风

地址：济南张庄路兴济河汽配城 A 区 027 号
电话：0531-89968726
83156483

济南新日汽车配件商行

主营：公爵、佳美、风神、皇冠、蓝鸟、风度、凌志、巴宁、大霸王、皮卡、海狮、帕拉丁、威驰

地址：济南张庄路兴济河商城 B 区 008 号
电话：0531-85521210

上海大众济南经销部

主营：帕萨特（B5、B4）、波罗（1.4、1.6）、大众途安 1.8T、高尔两门、四门、菲亚特

地址：济南市张庄路华东汽配城一层 108 号
电话：0531-86288029

济南鑫丰达微型汽配

主营：哈飞、松花江、中意、民意、百利、路宝、赛马、昌河、北斗星、长安

地址：济南市张庄路兴济河汽配城一层 B 区 017 号
电话：0531-83156341
85557319

凤城市汽研内烯机配件有限责任公司

主营：风扇离合器、发动机锌、铝全金铸件

地址：张庄路 132 号兴济河汽配城一层区 017 号（会东汽配城西邻）

济南中意汽配有限公司

主营：哈飞赛马、路宝、赛豹、民意、中意、百利全车配件及三菱、菱帅、4G18

地址：济南市张庄路老屯汽配城 12 排 18 号二部：济南张庄路华东汽配城一层 73 号
电话：0531-85250888
81825999

济南泰和汽车配件有限公司

主营：三菱吉普、猎豹吉普、三菱太空、东南得利卡、富利卡、菱帅、菱绅速跑

地址：济南市张庄路 299 号济南汽配市场场内 50 号
电话：0531-85557100
85991186

济南吉顺达汽配

主营：帕萨特 B5、宝来、桑塔纳、超人、骄子 3000、波罗、高尔

地址：济南市张庄路 132 号华东汽配市场底层西排 98 号
电话：0531-86736327

济南奥特工贸有限公司

主营：斯太尔、富华桥、过桥箱、轴承座、蹄铁半轴、主减壳各种支架

地址：济南槐荫区段店镇小李庄东（220 国道 208.5 公里处）销售部：济南华东汽配市场底层 100 号（张庄路 132 号）
电话：0531-87528766

济南当代汽车用品公司

主营：金马、杰达、天鹤、红心、猎头、303、迪克等汽车原子灰系列

地址：济南市北园大街 69 号省汽配城内西排 4-1038 号
电话：0531-82512878

济南中德力汽配有限公司

主营：一汽轻卡、大柴小解放、一汽小解放、云内 490、长春 488、全车配件

地址：济南市北园路 69 号汽车城内 1058 号
电话：0531-88966468
88969609

济南弘迪源成（山东）公司

主营：大发、夏利系列、铃木 462 系列、达契亚、桑塔纳、捷达、奥拓、五十铃

地址：北园大街 69 号汽车城东院 A2-138 号
电话：0531-8602668

济南鑫天利汽配有限公司

主营：三菱纯正部品专卖、猎豹纯正部品专卖、东南纯正部品专卖、风行·宝龙部品专卖

地址：济南市张庄路华东汽配市场 132 号
电话：0531-86255605
89698322

济南鑫亿汽车配件经销处

主营：中意、长安之星、长安、一汽佳宝、松花江、柳州五菱、新昌河、大发、夏利

地址：北园路 69 号省汽车城内-1098 号
电话：0531-88664857

济南得利汽配总汇

主营：日本尼桑、本田、丰田、三菱发动机变速箱、发动机、压缩机拆车件，昌河、松花江、奥拓、一汽佳宝、中意、全车配件

地址：济南北园大街 69 号（汽车城内 6-1018 号）
电话：0531-82232309

济南新裕鑫汽车状具精品商行

主营：各种汽车装具材料、精品、音响、防盗器、中控锁、地毯、座套、防爆太阳膜

地址：济南北园大街 69 号省汽车城西排 4128A 号
电话：0531-88962387
88677958

济南联谊佳信汽配公司

主营：帕萨特 5 普桑 、2000、超人、俊杰、骄子、世纪新秀、奥迪、捷达、原厂配件

地址：总部：北园大街 69 号山东汽车城西院 4118 号
分部：济南汽配市场张庄路 299 号
电话：0531-88970001

山东省汽车城三汇汽配商行

主营：机芯、空芯、汽芯、柴星、液亚油芯

地址：济南市北园大街 69 号（山东汽车城内西排 4138A）
电话：0531-88963266

济南市历城区鑫华顺商贸经营部

主营：南韩锦湖、上海回力、德国马牌、日本住友、台湾正新、韩国韩泰

地址：济南北园大街 69 号山东汽配城内 4048 号
电话：0531-88622228
82512880

济南市华城微型汽配

主营：捷达、捷达王、桑塔纳、长安、昌河、松花江、柳州五菱、中意、佳宝

地址：济南市北园路 69 号省汽车城内西排 4068 号
电话：0531-88979439
82512856

柳州五菱专卖

主营：雪佛兰 SPARK 上汽通用五菱（6320、6330、6360）、柳州五菱（五菱大发 6370、五菱 276）、上汽通用五菱（五菱之光 6371、6372、6373）

地址：济南市张庄路 132 号华东汽配市场底层西排-99 号、106 号
电话：053189585678

汽车用品批发超市

主营：汽车音响 CD、VCD、高音唔喇叭、防盗器、中控锁、防盗锁、排挡锁、贴防爆太阳膜、前风挡膜、高级汽车脚垫、护理用品、装饰用品

地址：济南市槐荫区段兴西路 1 号张庄路刘场汽配市场 5 号
电话：0531-85973958

济南零点汽配商行

主营：派力奥、西耶那、周末风、英格尔、优尼柯、新雅途全车配件

地址：济南市张庄路 132 号华东市场底层 4 号
电话：0531-83072669
85559369

济南鲁滨汽车配件有限公司

主营：新昌河、昌铃王、骏马、北斗星、海豚、海象、松花江是意、百利、赛马、路宝

地址：张庄路 299 号汽配市场内 18 号
电话：0531-5557117
5608433 6117（内线）

济南佳荣汽配

主营：奇瑞风云、旗云、东方之子、QQ

地址：济南市张庄路刘家场汽配城 67 号
电话：0531-86254522
88310858

济南蒙恩经贸有限公司

主营：松花江中医 2、一汽佳宝、长安之星、奥秃、都市贝贝、快乐王子、羚羊、夏利

地址：济南市北园大街 69 号山东汽配城西院 4178 号
电话：0531-88618218

济南瑞鑫汽车配件商行

主营：东南系列：得利卡、凌帅、吉普、猎豹吉普，太空系列：三菱太空、风行商务车

地址：北园路 69 号山东汽车城内 4188 室
电话：0531-83168540
83168940

立 强 汽 配

主营：尼桑系列：风度 A33、风神蓝鸟 I，丰田系列：皇冠 3.0、佳美 SXV20、子弹头 TCR10、凌志 L400、天津花冠、柯洛娜

地址：济南张庄路 132 叫华东汽配城底层 50 号
电话：0531-81988366

济南新大汽配商行

主营：桑塔纳 2000、3000、时代超人、奥迪、帕萨特 B5、捷达、红旗配件

地址：济南市北园大街 69 号（省汽车城东院 A2-038）
电话：0531-88976937
83168950

济南汇友汽车配件有限公司

主营：俊杰、波罗、高尔、桑 塔纳 99 新秀、2000 型、时代超人、世纪新秀、帕萨特 B5

地址：济南市张庄路 299 号济南汽车配件市场内 69 号
电话：0531-85996668
85980208

济南金鲁泉汽配有限公司

主营：丰田系列：皇冠、佳美、凌志，尼桑系列：公爵王、风度，风基鸟系列：天籁、阳光

地址：张庄路 132 号汽配城一层 4 号
电话：0531-85559213

济南新东环汽配

主营：北京 212、130、1041 东风小霸王、跃进小老虎、小金宝、大力神、扬柴、云内

地址：北园大街 69 号（山东汽车城东排 2128 号）二店：工业南路 64 号（华达汽配城内一区 138 二区 118.128 三区 128 号）
电话：0531-88966235

华滨汽保工具经销中心

主营：烤漆房、车轮平衡机、拆胎机、中文解码器

地址：济南北园大街 69 号（省汽车城汽配市场内东排 2-1028 室）
电话：0531-83168586
88662954

山东悦成汽配有限公司

主营：捷达、捷达王、柴油捷达、桑塔纳、2000 型、超人

地址：济南张庄路 132 号刘场汽配城 69 号
电话：0531-85985973

济南宝润通汽车配件有限公司

主营：帕拉丁、PALADIN、郑州日产、D22、ZN6491、6481

地址：济南市张庄路济南汽配城 101 号
电话：0531-85557077
85557067

济南鑫恒达汽配商行

主营：金杯海狮、丰田海狮 1RZ、2RZ、3RZ、中华 2.0、2.4

地址：济南市张庄路大业兴济河一层 B 区 006 号
电话：0531－83157112

济南鑫金鑫汽配有限公司

主营：江铃 NHR、4JA1、庆铃 NKR、4JA1、4JB1、江铃宝典、皮卡、庆铃皮卡、多功能吉普车 4ZE1、全顺

地址：济南市张庄路 132 号华东汽配市场东入口第一家 42 号
电话：0531-85661186
85881243

济南宝润通汽车配件有限公司

主营：广州本田、雅阁、日本本田、里程、朗程、东风本田、吉普 CR-V、马自达、福美莱

地址：济南市张庄路 299 号汽车配件市场内 101 号
电话：0531-85606780
85557077

济南志诚汽配经销处

主营：日产、公爵、公爵王、蓝鸟、皮卡、丰田、皇冠、佳美、凌志、本田 2.0、2.2

地址：北园大街 69 号
电话：0531-88970914

济南兴建汽配有限公司

主营：子弹头、小霸王、凌志、风度、兰鸟、公爵王

地址：北园路 69 号
电话：0531-88966117

济南群诚轮胎有限公司

主营：倍耐力、马牌、耐克森、正新、米其林、捷通、固特异、攀达、韩泰、锦湖、横滨、石桥

地址：济南市北园路 69 号
电话：0531-88961348
83168578

山东省济南市历城区

主营：奇瑞 QQ、奇瑞风云、东方之子系列全车配件

地址：济南市北园路 69 号汽车城西院西排 4208 号
电话：0531-83169910

济南历城汇泉汽配销售中心

主营：松花江、昌河、五菱、佳宝

地址：济南北园大街 69 号汽车城西院西排 3128 号
电话：0531-88975771
82512801

通达润滑油大全

主营：各种进口、国产名牌润滑油、齿轮油、刹车油、工程液压油、润滑脂、化油器清洗剂、发动机内外清洗剂防冻及汽车护理用品等

地址：济南市北园大街 69 号汽车城内 3138 号
电话：0531-2512967

济南巨源汽配商行

主营：一汽大众、捷达、捷达王、上海大众、桑塔纳、2000 型、时代超人

地址：济南市北园大街
电话：0531-88628685
86202836

济南宏运汽车配件经销处

主营：长城、田野系列、皮卡灯大全

地址：北园路 69 号省汽车城内 2-1118 号
电话：0531-83168568
86274518

济南迅驰电源设备有限公司

主营：汽车、摩托车、电动三轮车蓄电池、检测仪、充电机、比重计补充液、电解液

地址：济南市北园大街 69 号汽车城东区 B2-068
电话：0531-88615798

济南龙鑫汽配

主营：富华桥、安徽桥、SAF 桥、KIC 桥、BPW 桥、调整臂、半轴、轴头、制动固

地址：济南市北园大街 69 号机场路向北 800 米路西沂蒙大宴鸡对面
电话：0531-88961426
82512833

昌 荣 汽 配

主营：上海大众、普桑、2000 型、一汽大众、宝来、一汽轿车、奥迪、红旗

地址：北园路 69 号
电话：0531-8668808
3168566

山东省济南市历城区大众专营

主营：捷达、捷达王全车配件、夏利、三缸、四缸、吉利

地址：济南市北园路 69 号汽车城西院东排 1118 号
电话：0531-88601439
88976726
83168559

济南海裕汽配

主营：滤清器、火花塞、刹车片、雨刮片

地址：济南市北园大街 69 号汽车城东院 B2-058 室
电话：0531-88671857
88671852

济南顺鹏汽配

NISSAN

主营：公爵、风神、蓝鸟、风度、巴宁、皮卡

地址：济南市张庄路 307 号北新老屯汽配在南区 4 排 8 号
电话：0531-85991525
82533162

上海奔顺实业有限公司

主营：各种车型、水泵、球笼、微型车、总泵、分泵、压盘、离合器、气门

地址：济南市张庄路 307 号北新老屯汽配城南区 4 排 8 号
电话：0531-83157853
82533250

德国大众油品集团有限公司

主营：大众油品系列、大众滤清器系列、大众刹车系列、传感器

地址：济南市张庄路 307 号北老屯汽配城金街 183 号
电话：0531-82533654
82533664

济南市宏利汽车配件销售中心

主营：上海别克、新世纪、上海别克赛欧、SLXAT、上海别克1.6、1.8

地址：济南市张庄路307号南六排10号
电话：0531-85886090
82533511

济南成鑫汽车配件经营部

主营：切诺基213、2500、2020S、2023、2024、2032、战旗、狂潮、金旋风

地址：济南市张庄路307号北老屯汽配城南4排17号
电话：0531-85666407
85608535

上海大众帕萨特专卖

主营：上海大众、帕萨特全车配件

地址：济南市张庄路307号北山东老屯汽配城南区
电话：0531-82369889

武汉双人汽车配件有限公司

主营：滤清器、火神龙、富康、上海华普汽车、底盘配件及全车配件厂价销售

地址：济南新老屯汽配城南7排17-18号
电话：0531-83153210

济南利群电瓶专营部

主营：日本、美国、西欧、南韩各车型配套免维修电瓶及各种国产名牌蓄电池、牵引、叉车、充电机、发动机、自行车电瓶

地址：济南北园大街汽车城东院大门 30 米路西
电话：0531-83168569
86611187

山东诚达集团总公司汽车配件

主营：北京 1041、1042、130、212、南京、131、136、1043、福田农用车轮胎、三芯

地址：北园大街 69 号山东汽配城 1028 号
电话：0531-88965022
80689087

济南四联汽配总汇

主营：各种微型车驾驶室、车门扳金件、座椅、油箱、方向盘及各种微型车配件

地址：济南市北园路 69 号汽车城内 1038 号
电话：0531-88966663
8068001

济南启新伟业汽配

主营：奥迪、四缸、A5、V6、A6、红旗、宝来、世纪星、杷撒特 B5、马自达 M6

地址：老屯汽配市场南区 8 排 1-4 号
电话：0531-83157841
83157842
83157843

济南春亿汽配经销处

主营：扬动480、莱阳475、常柴480、云内480、武进490及锡柴490等发动机配件

地址：山东济南老屯汽配城11排14号
电话：0531-83157758

腾达南京汽配经营处

主营：扬柴系列、朝柴系列、南京跃进、小老虎、1061、1041

地址：济南市北园路69号汽车城扳房2-1138号
电话：0531-2512997

济南菱达经贸有限责任公司

NISSAN

主营：皮卡、蓝鸟、途乐、阳光、巴宁公爵王、佳奔、千里马、风度、风神

地址：北园大街69号山东汽车城西院内3188号
电话：0531-88967291
88621123

济南澄晖实业有限公司

主营：统一润滑油

地址：济南北园大街69号山东汽车城3178号
电话：0531-88660998

南方工艺申航全车装具

主营：中控、防盗、音响、空调、真皮、布艺座套

地址：济南市北园大街 69 号汽车城内西排 3158 号
电话：0531-82512968

济南鑫远通汽配

主营：奇瑞、风云、QQ、旗云、东方之子、全车配件

地址：济南市北园大街 69 号山东汽车城板房 2-1128 号
电话：0531-83168551

汽车用品装饰公司

主营：铁将军防盗器、奇真倒车雷达

地址：济南市槐荫区老屯汽配城南区 7 排 21、22 号
电话：0531-83157488

济南玉昌汽配

主营：比亚迪 F3、福莱尔、华普 303、花冠

地址：山东老屯汽配城 9 排 13 号
电话：0531-82533661
82533301

济南成鑫汽车配件经营部

主营：切诺基 213、2500、2020S、2023、2024、2032、6460、战旗、狂潮、金旋风

地址：济南市张庄路 307 号北老屯汽配城南 4 排 17 号
电话：0531-85666407
85608535

济南骏鑫马自达汽车配件有限公司

主营：一汽新款 M6、一汽马自达 M6、海南福美来 HMC7161、普力马 CA6430、日本 323

地址：济南市张庄路 307 号老屯汽配城南区 3 排 7 号
电话：0531-82533083
8239858

济南京源申通汽车商贸有限公司

主营：上海通用别克系列 G、GL、GS、GL8 君威、凯越、新世纪

地址：济南市张庄路 307 号北老屯汽配城 10 排 23-24 号
电话：0531-83158131
83158132

济南鑫光明汽配

主营：帕萨特、奥迪、红旗世纪星、明仕、波罗系列、桑塔纳 2000、3000、俊杰新秀

地址：山东老屯汽配城金区 8 排 6 号（济南张庄路 307 号向北 388 米）
电话：0531-85978638
82533191

济南太平洋汽配公司

主营：上海别克：赛欧、凯越，通用公司：凯迪莱克，福特公司：蒙迪欧

地址：槐荫区张庄路 299 号配件市场 75 号
电话：0531-86308177
86308537

济南市鑫厚德汽配有限公司

主营：汽油泵、电动升降机、电动火器、微电子调节器、小型继电器大灯增亮器

地址：山东老屯汽配城南区 5 排 15 号
电话：0531-82851685
83157968

济南瑞丰汽配有限公司

主营：一汽大众、帕萨特 B5、桑塔纳 2000、3000、时代超人、捷达、捷达王

地址:济南市张庄路新老屯汽配城南区 20 排 5 号
电话：0531-83157635
82533673

济南三元通汽配

主营：三薪、拉线、胶条、胶块、胶垫

地址：济南市张庄路新老屯汽配城南区 7 排 9 号
电话：0531-82533153
82533391

济南鑫光盛丰汽配服务有限公司

主营：凌志、子弹头、佳美、柯罗娜、凌志吉普、皇冠

地址：济南市张庄路 299 号内 99 号
电话：0531-85601116
85601117
85557035

济南恒信汽配商行

主营：长城皮卡、赛铃、塞弗、赛影、迪尔、大迪、新凯、曙光、奥铃、中兴

地址：济南市张庄路新老屯汽配城南区 13 号
电话：0531-83157631
86308701

济南顺发汽车轮胎经营部

主营：工程胎、交叉胎、批发内胎、垫皮、各种货车、轿车品牌轮胎

地址：西外环一汽服务站北临（路东）北京现代对面（分店）老屯汽配城南区 7 排 1－2 号
电话：0531-85963372
82533038

浙江阳明汽车部件公司济南分公司

主营：阳明开关、大众备品底盘件、发动机件、全车件螺丝、水管接头、塑料件、各种车型非金属防滑链

地址：济南市张庄路新老屯汽配城金街 197-199 号
电话：0531-82533099
82533205
82533637

济南恒润汽配公司

主营：上海华普：杰士达、M203（303H）、海尚 305

地址：济南市张庄路新老屯汽配城南区 20 排 2 号
电话：0531-83153018
83153019
86308254

济南永恒汽配公司

主营：上海大众桑塔纳 2000 型、超人、俊杰，上海大众 3000、超越者、上海大众帕萨特 B5 全车配件

地址：济南市张庄路 132 号刘场汽配城 73 号
电话：0531-85971988
85078017

济南瑞达汽配公司

主营：奇瑞 QQ、奇瑞风云、风云四代、奇瑞旗云、东方之子、羚羊

地址：济南市张庄路 307 号新老屯汽配城南区 20 排 2 号
电话：0531-83153051
86308851

济南瑞丰汽配有限公司

主营：帕萨特 B5、POLO、桑塔纳 3000、2000、时代超人、捷达、捷达王

地址：济南市张庄路新老屯汽配城南区 20 排 5 号
电话：0531-83157635
82533673

济南通盛汽车服务有限公司

主营：江铃：标准双排、单排加长，

庆铃：天皇、双排、100P，

日本原装:TFR、WFR

地址：张庄路 299 号济南汽车配件市场 53 号

电话：0531-85966086

85990414

82536014

济南浩巨汽车用品批发中心

主营：自排锁、手动排挡锁、汽车平衡杆、耀华 PVC 胶垫、不锈钢踏板、轮眉

地址：济南市老屯汽配城南区 21 排 5-6 号（分店）济南市济兖路 53-1 号

电话：0531-86732119

87587720

山东现代风商贸有限公司

主营：北京现代：索纳塔，东风悦

达起亚：千里马、华泰吉田

地址：济南市张庄路 307 号老屯汽配城南区 20 排 6 号

电话：0531-82369896

86308684

济南鑫世腾汽车配件经销处

主营：奥迪、红旗、超人、桑塔纳、2000、捷达、捷达王、全车配件

地址：济南市张庄路华东汽配城一层 1 号

电话：0531-85663199

85533138

85559101

济南博奥汽配有限公司

主营：国产进口各种车型起动机、发电机，批发：起动机、发电机、电喷大全、活塞

地址：济南市张庄路 307 号北老屯汽配城南区 11 排 17-18 号
电话：0531-82533115
83158155

济南大鑫河汽配有限公司
别克配件分公司

主营：别克系列：君威、荣御、GL8 新世纪、陆尊、GS、GL、GLX、赛欧、凯越、HRV、雪佛兰系列：新赛欧、景程、乐骋

地址：济南市张庄路 307 号北老屯汽配城 21 排 14-15 号
电话：0531-83157577
83157877

济南威大汽配公司

主营：索纳塔、伊兰特、途胜

地址：济南市张庄路新老屯汽配城 3 排 6 号
电话：0531-83153006
82533775

济南鑫华进口汽配公司

主营：丰田系列：柯柔那、子弹头、皇冠、佳美、凌志

地址：济南市张庄路 307 号北老屯汽配城内 13 排 8 号
电话：0531-83158176
83158178
83157510

济南金广源汽配

主营：奇瑞 QQ、柳州五菱、长安之星、一汽佳宝、东安 462、462 发动机配件

地址：济南市张庄路 307 号北老屯汽配城 12 排 6 号
电话：0531-83157798
83157789

济南正大康弘汽车配件商行

主营：帕萨特：B5、1.8T、2.0、V6，桑塔纳 2000、3000 型

地址：济南市张庄路 307 号北老屯汽配城北区 21 排 13-1 号
电话：0531-83157788
83157799

济南宏鑫汽配公司

主营：奇瑞风云、旗云、QQ 东方之子

地址：济南市张庄路 307 号北老屯汽配城金区银门 18 排 13 号
电话：0531-83157807
82533013
82533037

济南旭旺汽配有限公司

主营：海南马自达、一汽马自达、一汽小解放 488、498

地址：济南市张庄路 307 号北老屯汽配城 4 排 16-17 号
电话：0531-83157898
82533189

济南龙达汽车配件有限公司

主营：普桑、超人、99 新秀、2000 型、3000 型、B5C5A6

地址：张庄路老屯汽配市场 20 排 10 号
电话：0531-5960049
5605866

济南诚信久远汽配档

主营：马自达 323、626、929HC、福美来 7161、7180、普力马 6430、6432、一汽马自达 M6、7230、7200、标致 307、206

地址：济南市张庄路 307 号北老屯汽配城 20 排 8 号
电话：0531-81871220
82533932

广州龙格汽车油漆公司山东总代理

主营：龙格牌汽车油漆及高、中、低档清漆、固化剂、稀料、原子灰等铺料

地址：济南市张庄路老屯 299 号
电话：0531-85552879
82253011

济南炜汽配商行

主营：北京现代、索纳塔、伊兰特，上海大众：波罗二箱、三箱（1.4、1.6）全车配件

地址：济南市山东老屯汽配城 5 排 2 号
电话：0531-82533196
82533361

济南容盛汽配

主营：神龙富康、爱丽舍、赛纳配件大全

地址：济南市张庄路 299 号汽配市场 86 号
电话：0351-85965466
85965477

济南金星汽配公司

主营：群威、凯越、赛欧（三厢、两厢）、G、GS、GL、GLX、GL8、新世纪、雪佛兰 SPARK、新赛欧、乐骋、景程、赛宝

地址：济南市张庄路 307 号新老屯汽配城 16 排 6 号
电话：0531-86308997
83153202

济南鑫豪汽配商行

主营：上海大众配件、全车灯具仪表台、消声器内外饰品等

地址：张庄路 307 号山东老屯汽配城银门 17 排 12-13 号
电话：0531-3157567
2533266

济南鑫田汽配有限公司

主营：帕萨特 B5、1.8、1.8T、2.0、2.8

地址：济南张庄路老屯汽配城 15-16 号
电话：0531-82533535
82533537
86501468

济南炎乐汽配商行

主营：上海别克系列配件，君威、凯越、赛欧，雪佛兰景程、乐骋、G、GL、GS、GLX、GL8、新世纪、新赛欧

地址：济南张庄路 307 号老屯汽配城 18 排 16-17 号

电话：0531-83153071
83153072
86578033

安阳市汽车配件总厂济南直销处

主营：车型：EQ140、145、1094、153、1061、工程车、巨能王、挂车欧曼，配件：刹车鼓、刹车片等

地址：济南市张庄路 132 号华东汽配市场底层西厅 1052

电话：0531-85970300
85559205

山东佳信本田汽配公司

主营：广州本田纯正配件、东风本田纯正配件、日本本田纯正配件

地址：济南市张庄路 299 号汽配市场内 41 号

电话：0531-89889999
85667868
85557115

济南希望汽车配件经销处

主营：批发：汽车装具材料、汽车音响、冬夏坐垫、座套、真皮座椅等

地址：济南市张庄路 299 号内 32 号

电话：0531-85989589
85557136
86308155

济南宝润通汽车配件有限公司

主营：帕拉丁、郑州日产、D22、6491、6481

地址：济南市张庄路 299 号配件市场 101 号
电话：0531-85557077
85557067
85606780

山东天齐日产汽车服务有限公司

主营：本日尼桑、东风日产、郑州日产

地址：济南市张庄路 299 号配件市场 110 号
电话：0531-85961430
85980048
85980037

济南金江铃商贸有限公司

主营：天王 100P、NKR、双排、吉普 UBS，日本原装：TFR、WFR、NKR、NPR

地址：济南市张庄路 299 号配件市场 109 号
电话：0531-85557091
85970024

济南润商经贸有限公司

主营：米淇林轮胎、固特异轮胎、日本产飞劲轮胎、马牌韩泰

地址：济南市张庄路 299 号配件市场 47 号
电话：0531-85981686
85557151

济南新东方汽车用品批发商行

主营：批发各种汽车坐垫、地毯、防盗器、各种太阳膜、CD、VCD、MP3

地址：济南市北园路 69 号（山东汽配城内 1128 号）
电话：0531-88604089

济南城通达汽车配件有限公司

主营：奥迪、红旗、桑塔纳车配件、镗缸磨轴

地址：济南市张庄路 299 号配件市场 2 号
电话：0531-85667898

济南金北通汽车配件有限公司

主营：新世纪、G、GL、GLX、GS、君威、凯越、赛欧、雪佛兰

地址：张庄路 299 号内 10 号
电话：0531-85966438
85961038

济南富达汽配

主营：神龙富康、988 爱丽舍、东风雪铁龙、全车配件、国产件、厂家直销、品种齐全

地址：济南市新老屯汽配城金门银区 6 排 18 号
电话：0531-82533409
82533599

丰源鑫盛汽配总汇

主营：福普、美利一汽、莱马 M6

地址：济南市张庄路新老屯汽配城 6 排 17 号
电话：0531-83157822
87533607

鑫大众汽配商行

主营：捷达、捷达王、宝来全车零部件

地址：济南市老屯汽配城金门 6 排 16 号
电话：0531-83157658
82533739

济南鑫海专用车配件经销部

主营：专营各种车型助力器及液压件、翻斗车、油罐车、洒水车等

地址：山东老屯汽配市场 5 排 7-8 号
电话：0531-83157833
86673163
82533428

广州本田配件专卖
济南富豪商贸中心

主营：CF9、CG5、CG1、CM4、CM5、CM6、奥德赛、飞度、东风一CRV

地址：济南市张庄路 307 号北老屯汽配城 4 排 15 号
电话：0531-82533105
82533106

济南金长城润滑油有限公司

主营：北京欧普机油代理、英国壳牌机油代理、风帆蓄电池代理、深圳车喜化洗剂代理

地址：济南市张庄路 299 号-21 号
电话：0531-85557131
85994202

济南精汇伟业公司

主营：一汽宝来：1.6、1.8、1.8T，一汽马自达：M6、新款福美来、普力马

地址：济南市张庄路 299 号配件市场 23 号
电话：0531-86216399
85557253

济南通润发实业有限公司

主营：风神：一代、二代、三代、阳光、公爵：SY31、PY31、蓝鸟：U11、U12、U13

地址：济南市张庄路 299 号配件市场 44 号
电话：0531-85669686
86696937
85608419

济南耀华汽配

主营：浙江凯欧传动带有限公司济南办事处、大连天鸿汽车转向泵有限公司特约经销处

地址：济南市张庄路 307 号老屯汽配城金区 11 牌 12-13 号
电话：0531-83157616
86308795
83158261

金昌达汽配

主营：桑塔纳、2000型、时代超人、帕萨特B4B5、捷达

地址：济南市张庄路307号老屯汽配城12排21号
电话：0531-83157569
82533089

济南浩鑫汽配商行

主营：STN、2000、3000、超人、俊杰、B51.8、1.8T、2.0、2.8、波罗、高尔、捷达、捷达王、宝来

地址：济南市张庄路307号老屯汽配城12排22-23号
电话：0531-83157460
83157461
82533350

济南振华汽配经销处

主营：航天、金杯、海狮、丰田、发动机、2Y、3Y、4Y、12R、6480、1RZ、2RZ、配件及全车配件，批发及零售

地址：济南市张庄路307号老屯汽配城金区12排7号
电话：0531-85991152
86800203

济南金顺汽配

主营：华普系列：海域205、303、M203、海尚305、杰士达，吉利系列：吉利美日、优利欧、美人豹、夏利系列：夏利2000、夏利N3

地址：济南市张庄路307号老屯汽配城13排8号
电话：0531-83157575
86207058

济南市金海洋汽车配件批发中心

主营：金杯海狮、丰田海狮、丰田2Y、3Y、长城、田野、贵州航天全车配件、捷达、离合压盘

地址：济南市张庄路307号老屯汽配城12排7号

电话：0531-88591152
83158166

济南鑫瑞达汽配公司

主营：波罗、高尔、帕萨特、B4、B5、桑塔纳、3000型

地址：济南市张庄路307号老屯汽配城12排8-9号

电话：0531-83157818
83157828
85609261

济南童奥汽车配件有限公司

主营：马自达323、626、929，福美来7130、7161，普力马6430、6432，海马6440、6450、福马B2000、B2200

地址：济南市张庄路307号老屯汽配城金区11排12号

电话：0531-83157735
86308721

济南鹏达汽配

主营：一汽大众：捷达王、宝来、高尔夫，上海大众：桑塔纳2000型、超人

地址：济南市张庄路307号老屯汽配城金区4排6号

电话：0531-83157910
83157915

济南市美捷达汽车配件商行

主营：桑塔纳 2.0、2.7，伊兰特 1.6、1.8，普来特，千里马

地址：济南市张庄路 307 号老屯汽配城金区 1 排 17、18 号
电话：0531-83157889
85608887
86308286

济南星月汽配商行

主营：刹车蹄片总成德专业单位

地址：济南市张庄路 307 号老屯汽配城金区 1 排 10 号
电话：0531-86308131
83158226
82533171

济南炜炜汽配商行

主营：北京现代：索纳塔、伊兰特，上海大众：波罗二箱、三箱、1.4、1.6 全车配件

地址：济南市张庄路 307 号老屯汽配城 5 排 2 号
电话：0531-82533196
82533361

济南金华东老屯汽配城 5 排 2 号

主营：桑塔纳 2000、3000，帕萨特 B4、B5，超人，波罗 1.4、1.6

地址：济南市张庄路 299 号济南汽配市场 43 号
电话：0531-85977616
85977618

济南槐荫鑫源通汽配商行

主营：华利、夏利系列全车配件，威姿、V 系列全车配件，吉利、优利欧系列全车配件，爱丽舍系列全车配件，保险杠、巨峰灯具

地址：济南市张庄路 307 号老屯汽配城 17 排 14-17 号
电话：0531-83157880
83157881

诚 业 汽 配

主营：帕萨特 B4、B5、新秀 2000、超人 3000

地址：济南市张庄路 307 号老屯汽配城金区 17 排 22 号
电话：0531-83157626
82533592
83157628

顺航汽配制造有限公司

主营：专业生产经营桑塔纳、2000 型、时代超人、帕萨特 B5、奥迪

地址：济南市张庄路 307 号老屯汽配城银区 16 排 19-20 号
电话：0531-85983081
83157517

济南市兴鲁汽配公司

主营：金杯海狮、锐驰、中华轿车、尊驰、49Q-E、491Q-ME、丰田 2Y、3Y 三菱 4G64、4G24

地址：济南市张庄路 307 号老屯汽配城 16 排 16 号
电话：0531-85990795
85990789
82533795

济南金鑫汽车配件销售公司

主营：东风小王子：0.8L、1.0L，东风标致：1.6L、2.0L，上海华普：飚风、M203 海域 303

地址：济南张庄路 299 忠汽配市场内 31 号（内线：6135）
电话：0531-8560472785073792

济南鑫鹏汽配

主营：丰田：威驰、花冠、皇冠、锐志、海狮 、子弹头、佳美、凌志、皮卡、考斯特、吉普、柯罗娜，尼桑：皮卡、公爵王、风度、巴宁、风神蓝鸟、阳光、天籁、颐达、骐达、帕拉丁

地址：济南市张庄路 132 号华东汽配市场底层西排 88 号
电话：0531-85981418
86813175

建 艺 商 贸

主营：润滑油、润滑脂

地址：青岛市四方区洛阳路 1 号青岛汽车配件城北区 217 号
电话：0532-84852511

新 机 机 电

主营：双环汽车

地址：青岛市四方区洛阳路 1 号青岛汽车配件城北区 218 号
电话：0532-84859677

鑫隆华汽车服务

主营：金杯汽车

地址：青岛市四方区洛阳路 1 号青岛汽车配件城北区 227 号
电话：0532-84886450

斯迈克科技薄膜

主营：太阳膜

地址：青岛市四方区洛阳路 1 号青岛汽车配件城北区 211、212 号
电话：13105147188

鸿 金 运 汽 配

主营:SUV 新凯、长城、大迪双环

地址：青岛市四方区洛阳路 1 号青岛汽车配件城四区 38、39 号
电话：0532-86441765

青岛龙盛达汽配

主营：批发、零售上海大众、一汽大众全车配件

地址：青岛市四方区洛阳路 1 号青岛汽配城
电话：0532-84888201

立晨五征原厂配件批发中心

主营：五征农用车配件、半轴

地址：山东省临沂市工业大道北段临沂汽摩配城A区-367号
电话：0539-82911391

临沂市建永收割机配件公司

主营：联合收割机、旋耕机、履带式收割机等各种配件

地址：山东省临沂市工业大道北段临沂汽摩配城A区-389号
电话：13697811282

临沂市洛轴轴承有限公司

主营：洛轴轴孙 LYC、铁姆肯轴承 TWB、日本NSK、瑞典SKF

地址：山东省临沂市工业大道北段临沂汽摩配城A区-510号
电话：0539-8537183

通达农机配件销售中心

主营：农机配件

地址：山东省临沂市工业大道北段临沂汽摩配城A区-511号
电话：0539-83566678

临沂同心汽车配件有限公司

主营：汽车配件、农用车配件（云内、扬动、扬发）

地址：山东省临沂市工业大道北段临沂汽摩配城A区-526号
电话：0539-2800131

浙江三维橡胶品有限公司

主营：三维三角带、汽半风扇带、输送带等橡胶制品

地址：山东省临沂市工业大道北段临沂汽摩配城A区-530号
电话：13396866888

狮达电瓶临沂总代理

主营：启动机、发电机、各种汽车电器、发动机配件

地址：山东省临沂市工业大道北段临沂汽摩配城 A 区-531 号

电话：0539-83633387

临沂市全进汽配公司

主营：福田、凯马、正宇、英田等农用车配件

地址：山东省临沂市工业大道北段临沂汽摩配城 A 区-532 号

电话：0539-8677361

临沂市明光汽配经营部

主营：各种农用汽车、但卸车配件及润滑油等

地址：山东省临沂市工业大道北段临沂汽摩配城 A 区-560 号

电话：0539-8357534

名 优 汽 保

主营：汽保有工具、五金工具、电动工具标准件

地址：山东省临沂市工业大道北段临沂汽摩配城 A 区-562 号

电话：0539-2800562

金霞农机配件公司

主营：各种农机配件

地址：山东省临沂市工业大道北段临沂汽摩配城 A 区-563 号

电话：13468158098

临沂昌农农机三轮配件批发部

主营：农机配件

地址：山东省临沂市工业大道北段临沂汽摩配城 A 区-566 号

电话：0639-8356953

临沂庆君农机配件行

主营：农机配件

地址：山东省临沂市工业大道北段临沂汽摩配城A区-569号
电话：0539-8332069

临沂阿吉普润滑油销售部

主营：晨鸣润滑油统一工程机械、阿吉普润滑油

地址：山东省临沂市工业大道北段临沂汽摩配城A区-570号
电话：13853994200

山东临沂东源液压

主营：自卸车液压件

地址：山东省临沂市工业大道北段临沂汽摩配城A区-579号
电话：0539-2800868

临沂恒大汽配

主营：各种各优滤沮器、汽车电池

地址：山东省临沂市工业大道北段临沂汽摩配城B区-013号
电话：1350549360

鸿 运 汽 配

主营：振兴三滤、刹车系列、东风润滑油

地址：山东省临沂市工业大道北段临沂汽摩配城B区-007号
电话：0539-2803520

山东天江汽贸配件公司

主营：上柴发动机、杭发发动机、中国重型汽车等配件

地址：山东省临沂市工业大道北段临沂汽摩配城B区-002号
电话：0539-8039690

永昊物资配件润滑油

主营：东风配件、万中机油、长城机油

地址：山东省临沂市工业大道北段临沂汽摩配城 B 区-029 号
电话：0539-2800291

临沂诚信汽配

主营：诺尔、陶瓷、四配套临工总代理、各种刹车片

地址：山东省临沂市工业大道北段临沂汽摩配城 B 区-055 号
电话：13953996039

临沂永吕五金机电公司汽配分公司

主营：一汽配件、解放 141、151 全车配件

地址：山东省临沂市工业大道北段临沂汽摩配城 B 区-058 号
电话：0539-8356801

长春变速箱

主营：解放变速箱大全

地址：山东省临沂市工业大道北段临沂汽摩配城 B 区-060 号
电话：0539-2805779

灯 具 护 城

主营：客车、农用车货车等灯具、护杠

地址：山东省临沂市工业大道北段临沂汽摩配城 B 区-106 号
电话：0539-8368572

临沂煜丰汽车配件销售中心

主营：解放、斯太尔底盘零部件

地址：山东省临沂市工业大道北段临沂汽摩配城 B 区-107 号
电话：0539-2801906

浙江希尔离合器有限公司

主营：希尔离合器、油封、清华齿轮等配件

地址：山东省临沂市工业大道北段临沂汽摩配城B区-108号

电话：0539-8376921

锦 程 汽 配

主营：江公交客车、二汽东风、翻斗车等配件

地址：山东省临沂市工业大道北段临沂汽摩配城B区-109号

电话：0539-8330184

黄江斯太尔吊车配件临沂总经销

主营：黄河斯太尔板簧芯、各种轴承

地址：山东省临沂市工业大道北段临沂汽摩配城B区-112号

电话：13969935870

临沂正大汽配

主营：上海阳恩方向机、绍兴助力泵、枣庄油箱等临沂总代理

地址：山东省临沂市工业大道北段临沂汽摩配城B区-113号

电话：13563966444

宝应华龙三滤总代理

主营：江淮贷车、客车全车配件、朝4102、4105、4100

地址：山东省临沂市工业大道北段临沂汽摩配城B区-137号

电话：0539-8336096

临沂大川汽配

主营：玉柴机专卖、朝柴专卖、东风小霸王等配件

地址：山东省临沂市工业大道北段临沂汽摩配城B区-131号

电话：0539-8337131

临沂阳光轮胎有限公司

主营：中威轮胎、农用车轮胎、工程胎

地址：山东省临沂市工业大道北段临沂汽摩配城 B 区-176 号

电话：0 539-8351983

临沂万事达汽车物资贸易有限责任公司

主营：大柴锡柴、康明斯、玉柴等一汽二汽全车配件

地址：山东省临沂市工业大道北段临沂汽摩配城 B 区-181-185 号

电话：0539-8335599

南洋电器销售中心

主营：汽车电器、灯具、起动机、发电机

地址：山东省临沂市工业大道北段临沂汽摩配城 B 区-186 号

电话：0539-8357607

恩 周 汽 贸

主营：一汽解放半挂双桥配件已产“恩周”轴兴等配件

地址：山东省临沂市工业大道北段临沂汽摩配城 B 区-209 号

电话：13936634241

临沂市永春三滤经销处

主营：滤芯产品橡胶及拉线等配件

地址：山东省临沂市工业大道北段临沂汽摩配城 B 区-211 号

电话：13325098946

永 生 汽 配

主营：各种型号压器

地址：山东省临沂市工业大道北段临沂汽摩配城 B 区-220 号

电话：0539-2803997

航 飞 汽 配

主营：泵伐、电器、起动机、滤清器、风扇叶风扇带等纯正配件

地址：山东省临沂市工业大道北段临沂汽摩配城 B 区-206 号

电话：0539-8373575

临沂英德利有限公司

主营：汽车电器、仪表、空调等配件

地址：山东省临沂市工业大道北段临沂汽摩配城 B 区-238 号

电话：0539-8337500

山东启阳汽车零部件有限公司

主营：底盘配件、千斤顶、解放车配件

地址：山东省临沂市工业大道北段临沂汽摩配城 B 区-230-263 号

电话：0539-2806688

临沂市顺通轮胎有限公司

主营：米其林、百路捷通等轮胎

地址：山东省临沂市工业大道北段临沂汽摩配城 B 区-238 号

电话：0539-8359660

临沂亚虹经贸有限公司

主营：一汽解放汽车配件、台湾正新年轮胎总代理

地址：山东省临沂市工业大道北段临沂汽摩配城 B 区-239 号

电话：0539-8366721

临沂雅度轮胎贸易有限公司

主营：雅度轮胎、力奔轮胎

地址：山东省临沂市工业大道北段临沂汽摩配城 B 区-398 号

电话：0539-8365861

山东临沂江华汽车配件有限公司

主营：平头解放、尖头解放、配件

地址：山东省临沂市工业大道北段临沂汽摩配城B区-553号
电话：0539-8356768

临沂市南战乱汽配销售有限公司

主营：跃进、福田、江淮客车、锣柴、莱克等润滑油

地址：山东省临沂市工业大道北段临沂汽摩配城B区-560号
电话：0539-8351009

山东久泰商贸有限公司

主营：万达宝通系列、天津拓普系列等轮胎

地址：山东省临沂市工业大道北段临沂汽摩配城B区-583、585号
电话：0539-8353831

临沂市运昌经贸发展有限公司

主营：天津台商独资、三王轮胎

地址：山东省临沂市工业大道北段临沂汽摩配城B区-608号
电话：0539-8368888

临沂批发城永兴轮胎意汇

主营：轮胎及橡胶制品

地址：山东省临沂市工业大道北段临沂汽摩配城B区-612号
电话：0539-28055966

翻新轮胎公司

主营：天泰翻新轮胎

地址：山东省临沂市工业大道北段临沂汽摩配城B区-613号
电话：0539-2800644

航 飞 汽 配

主营：泵伐、电器、起动机、滤清器、风扇叶风扇带等纯正配件

地址：山东省临沂市工业大道北段临沂汽摩配城 B 区-206 号

电话：0539-8373575

临沂英德利有限公司

主营：汽车电器、仪表、空调等配件

地址：山东省临沂市工业大道北段临沂汽摩配城 B 区-228 号

电话：0359-8337500

临沂亚虹经贸有限公司

主营：一汽解放汽车配件、台湾正多斤轮胎总代理

地址：山东省临沂市工业大道北段临沂汽摩配城 B 区-239 号

电话：0539-8366721

临沂雅度轮胎贸易有限公司

主营：雅度轮胎、力奔轮胎

地址：山东省临沂市工业大道北段临沂汽摩配城 B 区-398 号

电话：0539-8365861

临沂汇银经贸有限公司

主营：轮胎、内胎、钢圈、凯丰、富耐、正通汇银等配件

地址：山东省临沂市工业大道北段临沂汽摩配城 B 区-615 号

电话：0539-8362881

临沂市裕腾贸易有限公司

主营：锦湖、东洋、玲珑等载重轮胎、轿车轮胎

地址：山东省临沂市工业大道北段临沂汽摩配城 B 区-620 号

电话：0539-8335296

临沂市华银轮胎橡胶有限公司

主营：方州轮胎

地址：山东省临沂市工业大道北段临沂汽摩配城B区-627号
电话：0539-8356661

临沂友发商贸有限公司

主营：朝阳轮胎、好运轮胎

地址：山东省临沂市工业大道北段临沂汽摩配城B区-616号
电话：0539-83733118

临沂太平轮胎公司

主营：双置路路顺系列轮胎

地址：山东省临沂市工业大道北段临沂汽摩配城B区-633号
电话：0539-8350900

川 西 电 池

主营：汽车配件

地址：武汉市东西湖区东西湖大道146-148号武汉万园汽配城A1-1
电话：02752352217

临沂华威微型汽配

主营：五菱、昌河、奥拓、佳宝、长安之星、厅瑞等系列配件

地址：山东省临沂市工业大道北段临沂汽摩配城A区-121号
电话：132553900990

临沂市奥众汽配

主营：大众系列配件

地址：山东省临沂市工业大道北段临沂汽摩配城A区-123号
电话：0539-8368926

临沂大成汽配有限公司

主营：微型车铁顶、车门、保险杠内饰件等配件

地址：山东省临沂市工业大道北段临沂汽摩配城A区-126号
电话：13869912369

临沂市欧亚汽车配件商行

主营：一汽大众、奇瑞、宝来、QQ东方之子等配件

地址：山东省临沂市工业大道北段临沂汽摩配城A区-131号
电话：13705490612

临沂金日汽车配件公司

主营：微型汽车系列家友好车系列配件

地址：山东省临沂市工业大道北段临沂汽摩配城A区-137号
电话：13969987998

临沂众捷汽车配件有限公司

主营：专业经营捷达车备件

地址：山东省临沂市工业大道北段临沂汽摩配城A区-139号
电话：13305396806

龙胜汽配公司

主营：专营桑塔纳全车配件时代超人、捷达王等全车配件

地址：山东省临沂市工业大道北段临沂汽摩配城A区-138号
电话：0539-8361141

临沂市宏个汽配公司

主营：桑塔纳2000、3000、时代超代帕萨特B5、捷达王、捷达新工艺胆卫等汽配

地址：山东省临沂市工业大道北段临沂汽摩配城A区-151号
电话：0539-2800178

临沂金港微型汽配总汇

主营：微型汽配

地址：山东省临沂市工业大道北段临沂汽摩配城A区-153号
电话：0539-83577617

临江市鑫源汽配总汇

主营：北京现代神龙富康等汽配

地址：山东省临沂市工业大道北段临沂汽摩配城A区-162号
电话：0539-28033832

临沂大光明汽配公司

主营：北京现代、宝来、捷达王、捷达、伊兰特、上海别克汽配

地址：山东省临沂市工业大道北段临沂汽摩配城A区-163号
电话：0539-8687666

临沂振宇贸易有限公司

主营：金杯海狮、风行、瑞风福田、丰田、2Y、3Y等配件

地址：山东省临沂市工业大道北段临沂汽摩配城A区-219、280号
电话：0539-8357665

开源汽配批发有限公司

主营：微型大全、五菱之光、长安之星、昌河配件

地址：山东省临沂市工业大道北段临沂汽摩配城A区-092号
电话：0539-8336968

风帆汽配销售处

主营：风帆牌双帆韩国原装进品蓄电池

地址：山东省临沂市工业大道北段临沂汽摩配城A区-093号
电话：0539-8027898

飞奥汽配有限公司

主营：一汽大众、奥迪四缸、五缸、六缸 O5A61、8I2、4A6L、世纪星、捷达王、宝来全车配件

地址：山东省临沂市工业大道北段临沂汽摩配城 B 区-612 号

电话：0539-8369718

临沂全红微型配件批发商行

主营：长安之星、北斗星、五菱之光

地址：山东省临沂市工业大道北段临沂汽摩配城 A 区-096 号

电话：13869996859

泰和润滑油有限么司

主营：SK 吉克润滑油

地址：山东省临沂市工业大道北段临沂汽摩配城 A 区-087 号

电话：0539-2800956

昌 隆 汽 配

主营：桑塔纳、奥迪、北京现代捷达王配件

地址：山东省临沂市工业大道北段临沂汽摩配城 A 区-088 号

电话：0539-8361478

瑞 祥 汽 配

主营：红旗、奥迪轿车配件

地址：山东省临沂市工业大道北段临沂汽摩配城 A 区-089 号

电话：0539-2805338

鑫瑞通汽配

主营：汽车粉调、机油之滤水箱、灯泡、德国大众王牌润滑油

地址：山东省临沂市工业大道北段临沂汽摩配城 A 区-091 号

电话：0539-2800185

龙 福 汽 配

主营：各种车型三滤、QQ 全车配件、SPK 全车配件

地址：山东省临沂市工业大道北段临沂汽摩配城 A 区-107 号
电话：0539-2800365

临沂鑫大道微型汽配商行

主营：长安之星、北斗星、昌河、微型汽车配件

地址：山东省临沂市工业大道北段临沂汽摩配城 A 区-108 号
电话：13705494451

临沂金达汽配

主营：千里马、瑞达起亚、瑞风全车配件

地址：山东省临沂市工业大道北段临沂汽摩配城 A 区-111 号
电话：0539-8361634

临沂兴隆重汽配

主营：海南马自达、一汽 M6 金杯海狮、长城系列配件

地址：山东省临沂市工业大道北段临沂汽摩配城 A 区-112 号
电话：0539-8360904

洪 江 汽 保

主营：汽修设备、各种电脑检测第统设备、解码器等世界品牌汽车专用工具、终身保用

地址：山东省临沂市工业大道北段临沂汽摩配城 A 区-113 号
电话：13953970168

临沂利欣汽配公司

主营：上海大众、帕萨特、一汽大众、捷达王全车配件

地址：山东省临沂市工业大道北段临沂汽摩配城 A 区-115 号
电话：0539-8355420

临沂新五菱微型汽配

主营：五菱系列全车原厂配件北京很不尔玛润滑油总代理

地址：山东省临沂市工业大道北段临沂汽摩配城A区-116号

电话：0539-2805309

临沂宏运微型汽配

主营：五菱汽车、长安之星、东风小康配件

地址：山东省临沂市工业大道北段临沂汽摩配城A区-117号

电话：0539-6667000

临沂广源进口汽配

主营：广州本田全车配件

地址：山东省临沂市工业大道北段临沂汽摩配城A区-037号

电话：0539-83533777

临沂万顺商贸有限公司

主营：康普顿润滑汕德国大众一汽华润系列机油

地址：山东省临沂市工业大道北段临沂汽摩配城A区-013号

电话：0539-8357782

华 兴 汽 配

主营：五菱、昌河各种微型电喷件

地址：山东省临沂市工业大道北段临沂汽摩配城A区-119号

电话：0539-2801506

临沂喜龙汽配

主营：别克、北京切诺基全车配件

地址：山东省临沂市工业大道北段临沂汽摩配城A区-120号

电话：0539-83500223

华 宝 汽 配

主营：瑞风、风行、全顺等配件

地址：山东省临沂市工业大道北段临沂汽摩配城A区-190号
电话：0539-8365862

临沂宏宇汽配总汇

主营：北京现肛、伊兰特、索纳塔全车配件

地址：山东省临沂市工业大道北段临沂汽摩配城A区-192号
电话：13900549759

大 通 汽 配

主营：本田、丰田、三凌、马自达配件

地址：山东省临沂市工业大道北段临沂汽摩配城A区-178号
电话：0539-8354057

临沂永正汽配

主营：微型汽车配件昌河、松花江、一汽佳宝、北斗星等

地址：山东省临沂市工业大道北段临沂汽摩配城A区-179号
电话：0539-2800237

杨 帆 汽 配

主营：东风悦达起亚配件

地址：山东省临沂市工业大道北段临沂汽摩配城A区-181号
电话：0539-28055729

临沂昌隆汽配

主营：五菱之光、北斗星、佳宝等系列配件

地址：山东省临沂市工业大道北段临沂汽摩配城A区-182号
电话：0539-2805528

广州宏达汽配临沂分公司

主营：本田、丰田、日产配件

地址：山东省临沂市工业大道北段临沂汽摩配城A区-182-2号
电话：0539-2801732

利 达 汽 配

主营：五菱之光、昌河、长安之星时代超人等系列配件

地址：山东省临沂市工业大道北段临沂汽摩配城A区-217号
电话：0539-2805293

天 宇 汽 配

主营：专车经营风云QQ东方之子、A5等全车配件

地址：山东省临沂市工业大道北段临沂汽摩配城A区-222号
电话：0539-2801127

临沂领航商贸

主营：汽车养护系列

地址：山东省临沂市工业大道北段临沂汽摩配城A区-223号
电话：0539-2800908

临沂超众汽配

主营：汽车配件

地址：山东省临沂市工业大道北段临沂汽摩配城A区-226号
电话：0539-35922328

飞 跃 汽 配

主营：微型大众全车配件

地址：山东省临沂市工业大道北段临沂汽摩配城A区-228号
电话：0539-8019715

沈阳市金丰达汽车配件公司

主营：现货提供 GM 通用产别克商务车、G18 陆尊全车车门、主体气袋、前后盖、叶子板、前后桥及全部内外塑饰件

地址：沈阳市和平区南京北街 213 号汽车配件中心市场 1－A6－2
电话：024－23255526

沈阳菱华汽配有限公司

主营：491Q（4Y）化油器，航天三菱 4G63、4G64 发动机、变速箱及配件；特价供应 4G63、4G64 发动机

地址：沈阳市东陵区长青街 50 号
电话：024－24215892
86051585

沈阳市山诚汽车配件有限公司

主营：各款全新发动机

地址：沈阳市皇姑区昆山路 238 号
电话：024－86798522

沈阳市汇鑫和汽车配件经销处

主营：中华轿车、尊驰、金杯海狮、锐驰

地址：沈阳市南京街 213 号
电话：024－31608056

沈阳市和平区诚捷汽配经销处

主营：中华、金杯、雪佛兰、阁瑞新、开拓者

地址：沈阳市南京北街 213 号汽配中心市场 1－C12 号
电话：024－23262730

辽宁省凤城市富达汽车传感器

主营：汽车电喷节气门位置传感器系列、曲轴位置传感器系列、霍尔传感器系列、凸轮轴传感器系列等

地址：辽宁省凤城市凤山经济管理区国茂 1 号楼
电话：0415－8151556

丹东环球汽车电器厂

主营：汽车电器；诚邀加盟

地址：辽宁丹东振兴区国桢路 12 号
电话：0415－6924123

鞍山大众名车起配商行

主营：宝束配件、纯正原厂备件

地址：辽宁省鞍山市光盛路光盛汽配城 2 号楼 4 号
电话：0412－8565608
8556168

大连成之名商贸有限公司

主营：奔驰、宝马配件

地址：辽宁省大连市甘井子区蓝天街 50 号
电话：0411－86811188

大连卓凡汽车配件有限公司

主营：美国通用系列、上海别克车配件，蒙迪欧、嘉年华

地址：辽宁省大连市西岗区北岗街 59 号
电话：0411－39835353
83781791

长沙诚信汽配有限公司

主营：上海大众、一汽大众及上海奇瑞系列配件

地址：湖南省长沙市高桥友谊汽配城一区 3 栋
电话：0731－2612265

长沙车之友汽配城

主营：发动机、变速箱、方向机、压缩机登日本轿车件，日本专业厂底盘件、BK 品牌半轴、内外球笼、修理包等

地址；湖南省长沙市高桥友谊汽配城 6 栋南 3－4 号
电话：0731－5466069
2613513

青海西宁新华林汽配供应站

主营：神龙富康化油器、电喷，爱丽舍、毕加索全车配件，汽油车化油器、电喷，柴油车油刹、气刹及全车配件

地址；青海省西宁市昆仑路 37 号昆仑汽配城 3－133－134 号
电话：0971－6104770
4397307

兰州市城市区天力汽配商行

主营：切诺基纯正零配件

地址：兰州市城关区东岗东路 1740 号
电话：0931-4672877

乌鲁木齐市华业利源商贸公司

主营：日韩汽车纯正配件

地址：新疆乌鲁木齐市阿勒泰路 2 号嘉和园雅园 3 号楼一层门面 82 号
电话：0991-8756372

德汉马达发电机压缩机总汇

主营：生产经营各车系起动马达、发电机及齿轮、调节器、磁力开关等产品

地址：太原市建汽配市场 6345 号
电话：0351-7683626

江西省大丰汽配有限公司

主营：桑塔纳、2000型、3000型、时代超人配件、昌河、松花江、哈飞、长安

地址：江西省南昌市洪城路105号A46-47号

电话：0791-6418169
6403083

贵州凯里龙达汽车制动产品公司

主营：诚征省、地级代理商、专业生产国内外各种车用盘式片、鼓式片等

地址：贵州凯里市凯运大道48号

电话：0855-8510963

四川成都华瑞汽配有限公司

主营：北京现代、伊兰特、索纳塔、途胜、上海大众、帕萨特、波罗、高尔、上海通用、君威、凯越、赛欧

地址：红牌楼三力佛兰汽配城B区182-183号

电话：028-66025882
66025887

成都园海汽配电器有限公司

主营：专业从事汽车发电机生产、发电机定子、转子

地址：成都武青南路

电话：028-85362117

南京车王科技有限公司

主营：车王金点电喷燃油泵系列

地址：南京市新庄林大汽配市场二楼 A 中 12 号
电话：13851923873

南京永泽汽配有限公司

主营：金杯海狮：新光、绵阳、丰田、金杯、锐弛、东南汽车：得利卡、富利卡、东南菱狮、东风中华轿车：三菱

地址：南京市玄武五立交桥墨香路 9 号、南京新年伊汽配城 2 幢 2-4 号
电话：025-85426817

南京世尊物资贸易公司

主营：东风风行、广州宝龙

地址：南京市龙蟠路 53 号
电话：025-85437951
85437952

南京平立电子电器厂

主营：城征省市区级代理商、电喷汽车燃油泵

地址：南京石鼓路 13 号
电话：13305166778

南京世尊物资贸易有限公司

主营：东风风行、广州宝龙商务车全车配件

地址：南京市龙蟠路 53 号新庄汽配商城 333-334 号
电话：025-85437951

南京永泽汽配有限公司

主营：中华轿车系列、东南得利卡、富利卡、东南菱帅系列

地址：南京市玄武经五立交桥墨香路 9 号新伊汽配城 2 幢 2-4 号
电话：13705157958

南京金海狮汽车服务有限公司

主营：金杯海狮、中华轿车

地址：南京市辛庄 17 号林大汽配城东区 201 室
电话：025-85421600

南京平立电子电器厂

主营：城征省市区级代理商、电喷汽车燃油泵

地址：南京石鼓路 13 号
电话：13305166778

汽 燕 汽 配

主营：汽车灯具

地址：南通市城港路 187 号南通永兴国际车城 8 号楼 C3
电话：0513-85606400

周氏汽配、滤清器大王

主营：汽车电器、滤清器、

地址：南通市城港路 187 号南通永兴国际车城 8 号楼 C6
电话：0513-85605153

南通金恒汽配经营部

主营：奥迪、红旗、宝来、帕萨特

地址：南通市城港路 187 号南通永兴国际车城 8 号楼 D3
电话：0513-85605792

南通瑞林汽车配件批发部

主营：汽车起动机、发电机、刮水电机等

地址：南通市城港路 187 号南通永兴国际车城 8 号楼 D5
电话：035-85850537

亚伯兰汽车电器

主营：亚伯兰电器

地址：南通市城港路 187 号南通永兴国际车城 8 号楼 D6-7
电话：0513-85600185

恒通微型汽配批发部

主营：橡胶件、塑料件、内饰板等

地址：南通市城港路 187 号南通永兴国际车城 8 号楼 D11
电话：0513-85772836

南通市港闸跃进汽配总汇

主营：跃进、东风、二汽、江淮

地址：南通市城港路 187 号南通永兴国际车城 8 号楼 E1、E2
电话：0513-85605978
85600776

南通恒大汽配经营部

主营：汽车养护类和装潢护理类

地址：南通市城港路 187 号南通永兴国际车城 8 号楼 E6、E7
电话：0531-85604110

南通华烨汽配

主营：日本车系列拆车发动机变速箱

地址：南通市城港路 187 号南通永兴国际车城 9 号楼 A5
电话：0513-85605725

面通汽车电器修理

主营：维修各种汽车电路、空调

地址：南通市城港路 187 号南通永兴国际车城 9 号楼 B5
电话：13813737546

南通蔡山汽车烤漆板金

主营：汽车烤漆板金

地址：南通市城港路 187 号南通永兴国际车城 9 号楼 B8
电话：0513-86160700

无锡福斯特增压器有限公司

主营：解放一汽、东风二汽

地址：南通市城港路 187 号南通永兴国际车城 10 号楼 B3-4
电话：0513-85603538

南京雷亚物资

主营：跃进

地址：南京市玄武区墨香路 9 号南京新伊汽配城 13-9 号
电话：13605097976

南京万顺汽配

主营：大众

地址：南京市玄武区墨香路 9 号南京新伊配城 14-1 号
电话：13951643343

玄武区古龙汽配经销处

主营：底盘

地址：南京市玄武区墨香路 9 号南京新伊汽配城 15-8 号
电话：025-85413886

南通新宇汽配有限公司

主营：微型车配件批发零件

地址：南通市城港路 187 号南通永兴国际车城 8 号楼 A4
电话：0513-8560611

南通金海狮汽车贸易有限公司

主营：东南汽车、金三江海狮配件专卖

地址：南通市城港路 187 号南通永兴国际车城 8 号楼 A5
电话：0513-8560123
85605608

上海祥鸿企业

主营：汽车检测设备、汽保工具

地址：南通市城港路 187 号南通永兴国际车城 8 号楼 A9
电话：0531-85606116

南通市光源汽配经营部

主营：东南得利卡、富利卡、菱帅

地址：南通市城港路 187 号南通永兴国际车城 8 号楼 B1
电话：0531-85605612

张刚汽车音响行

主营：汽车音响

地址：南通市城港路 187 号南通永兴国际车城 8 号楼 B3
电话：0531-85605838

南通市通瑞工贸有限公司

主营：北京现代上海别克 AC 科全线产品

地址：南通市城港路 187 号南通永兴国际车城 8 号楼 B5
电话：0513-85602398

南通忠华汽配

主营：国产、进口三滤水管密封条

地址：南通市城港路 187 号南通永兴国际车城 8 号楼 B8、B9
电话：0513-85605107

香港飞越空间汽车饰品南通专营店

主营：汽车饰品

地址：南通市城港路 187 号南通永兴国际车城 8 号楼 B15
电话：0513-85602281

南通富通汽配批发中心

主营：滤清器总汇

地址：南通市城港路 187 号南通永兴国际车城 8 号楼 B16
电话：0513-85933178

南京蟠龙汽车配件公司

主营：二汽

地址：南京市玄武区墨香路 9 号南京新伊配城 6-13 号
电话：13815445556

南京嘉乐商贸实业有限公司

主营：蓄电池

地址：南京市玄武区墨香路 9 号南京新伊配城 7-1 号
电话：13357706597

南京蟠龙汽车配件公司

主营：二汽

地址：南京市玄武区墨香路 9 号南京新伊配城 7-2 号
电话：025-85421838

南京飞舟南汽专卖

主营：依维柯

地址：南京市玄武区墨香路 9 号南京新伊配城 7-8 号
电话：025-85356218

南京利登汽配件销售中心

主营：空调

地址：南京市玄武区墨香路 9 号南京新伊配城 7-14 号
电话：138511704529

南京东顺冷所工程有限公司

主营：蒙迪欧

地址：南京市玄武区墨香路 9 号南京新伊配城 7-9 号
电话：13382782189

南京仁兴汽配有限公司

主营：春兰

地址：南京市玄武区墨香路 9 号南京新伊配城 7-22 号
电话：025-85566043

南京广东汽配经营部

主营：伊兰特

地址：南京市玄武区墨香路 9 号南京新伊配城 8-9 号
电话：025-85429863

南京润安配有限公司

主营：大众

地址：南京市玄武区墨香路 9 号南京新伊配城 8-11 号
电话：13141694888

南京江鹏汽车修理服务

主营：柴油泵

地址：南京市玄武区墨香路 9 号南京新伊配城 8-12 号
电话：025-85474892

南京润安汽配有限公司

主营：大众

地址：南京市玄武区墨香路 9 号南京新伊配城 8-13 号
电话：13141694888

南京北人汽配销售站

主营：北汽福田

地址：南京市玄武区墨香路 9 号南京新伊配城 8-14 号
电话：025-85403031

南京越美泰汽配

主营：灯具

地址：南京市玄武区墨香路 9 号南京新伊配城 6-13 号
电话：13815445556

南京嘉乐商贸实业有限公司

主营：蓄电池

地址：南京市玄武区墨香路 9 号南京新伊配城 7-1 号
电话：13357706597

南京蝗龙汽车配件公司

主营：二汽

地址：南京市玄武区墨香路 9 号南京新伊配城 7-2 号
电话：025-85421838

南京飞舟南汽专卖

主营：依维柯

地址：南京市玄武区墨香路 9 号南京新伊配城 7-8 号
电话：025-85356218

南京利登汽配件销售中心

主营：空调

地址：南京市玄武区墨香路 9 号南京新伊配城 7-14 号
电话：13851704529

南京东顺冷气工程有限公司

主营：蒙迪欧

地址：南京市玄武区墨香路 9 号南京新伊配城 7-9 号
电话：13382782189

建 伟 汽 配

主营：飞利浦

地址：南京市玄武区墨香路 9 号南京新伊配城 9-3 号
电话：025-85418590

平安汽配分公司

主营：灯具

地址：南京市玄武区墨香路 9 号南京新伊配城 9-4 号
电话：025-85298927

晋雨汽配经营部

主营；康明斯

地址：南京市玄武区墨香路 9 号南京新伊配城 9-13 号
电话：025-85420572

春 兴 公 司

主营：润滑油

地址：南京市玄武区墨香路 9 号南京新伊配城 10-1 号
电话：025-85416263

南京宁海鸿汽配有限公司

主营：尼桑

地址：南京市玄武区墨香路 9 号南京新伊配城 10-2 号
电话：025-85423763

华 业 汽 配

主营：现代

地址：南京市玄武区墨香路 9 号南京新伊配城 10-5 号
电话：13770912838

尊世汽配服务中心

主营：依维柯

地址：南京市玄武区墨香路 9 号南京新伊配城 4-15 号
电话：025-85437953

南京铁流汽车零部件

主营：离合器

地址：南京市玄武区墨香路 9 号南京新伊配城 5-7 号
电话：025-85418906

南京智达汽配销售中心

主营：依维柯

地址：南京市玄武区墨香路 9 号南京新伊配城 5-13 号
电话：025-85433901

南京兴业汽配

主营：驾驶室

地址：南京市玄武区墨香路 9 号南京新伊配城 5-14 号
电话：13914760447

南京超运汽车配件公司

主营：雪铁龙

地址：南京市玄武区墨香路 9 号南京新伊配城 6-1 号
电话：025-85437053

南京宝中工贸有限公司

主营：江铃

地址：南京市玄武区墨香路 9 号南京新伊配城 6-2 号
电话：025-85433304

南京邦城配件有限公司

主营：皮卡

地址：南京市玄武区墨香路 9 号南京新伊配城 12-4 号
电话：025-68809859

南京宁雁比汽配有限公司

主营：丰田

地址：南京市玄武区墨香路 9 号南京新伊配城 12-5 号
电话：025-85408007

南京四驰汽配有限公司

主营：依维柯

地址：南京市玄武区墨香路 9 号南京新伊配城 12-9 号
电话：025-83421707

蓝马汽保应

主营：汽保

地址：南京市玄武区墨香路 9 号南京新伊配城 12-18 号
电话：025-85356108

南京富顺达工贸有限公司

主营：发动机

地址：南京市玄武区墨香路 9 号南京新伊配城 13-2 号
电话：13801596779

南京韦一汽配

主营：东风

地址：南京市玄武区墨香路 9 号南京新伊配城 13-5 号
电话：025-85351168

南京金世纪利汽配公司

主营：上柴

地址：南京市玄武区墨香路 9 号南京新伊配城 9-1 号
电话：025-85405186

南京博泰汽配

主营：节温器

地址：南京市玄武区墨香路 9 号南京新伊配城 11-9 号
电话：025-85435884

风 翔 灯 具

主营：灯具

地址：南京市玄武区墨香路 9 号南京新伊配城 11-13 号
电话：025-85356568

佳联汽车配件有限公司

主营：跃进

地址：南京市玄武区墨香路 9 号南京新伊配城 11-14 号
电话：025-86894784

长 春 一 汽

主营：一汽

地址：南京市玄武区墨香路 9 号南京新伊配城 12-1 号
电话：025-85426221

苏舜城东汽配

主营：润滑油

地址：南京市玄武区墨香路 9 号南京新伊配城 12-2 号
电话：025-85408543

南京安培机电设备有限公司

主营：蓄电池

地址：南京市玄武区墨香路 9 号南京新伊配城 15-7 号
电话：025-853546560

南京句东门锁销售部

主营：门锁

地址：南京市玄武区墨香路 9 号南京新伊配城 15-9 号
电话：025-85410879

南京联丰汽配销售中心

主营：江铃

地址：南京市玄武区墨香路 9 号南京新伊配城 16-1 号
电话：025-85408735

大 凡 汽 配

主营：传动轴

地址：南京市玄武区墨香路 9 号南京新伊配城 16-3 号
电话：025-85404155

南京秀华汽配经营部

主营：钢板

地址：南京市玄武区墨香路 9 号南京新伊配城 16-5、7 号
电话：025-85433679

南京襄方汽园林形式轴承销售

主营：轴承

地址：南京市玄武区墨香路 9 号南京新伊配城 16-8 号

南京睿比车用柴油

主营：柴油机

地址：南京市玄武区墨香路 9 号南京新伊配城 15-1 号
电话：025-85413138

华 雷 汽 配

主营：润滑油

地址：南京市玄武区墨香路 9 号南京新伊配城 15-2 号
电话：025-85405672

玄武区双龙汽配经营部

主营：标志、蓄电池

地址：南京市玄武区墨香路 9 号南京新伊配城 15-3 号
电话：025-85402116

南京诚昌汽配

主营：大柴

地址：南京市玄武区墨香路 9 号南京新伊配城 15-4 号
电话：025-85433971

南京艾瑞克水泵大全

主营：水泵

地址：南京市玄武区墨香路 9 号南京新伊配城 15-5 号
电话：025-85408482

南京永伟汽配

主营：庆铃

地址：南京市玄武区墨香路 9 号南京新伊配城 15-6 号
电话：025-85407100

句容茅山门锁销售处

主营：门锁、升降机

地址：南京市玄武区墨香路 9 号南京新伊配城 3-8 号
电话：025-85416128

南京顺吉汽配经营部

主营：雪铁龙

地址：南京市玄武区墨香路 9 号南京新伊配城 3-12 号
电话：025-85356055

南京开利汽配

主营：马自达

地址：南京市玄武区墨香路 9 号南京新伊配城 3-16 号
电话：025-68809881

南京亚奇汽车配件中心

主营：小霸王

地址：南京市玄武区墨香路 9 号南京新伊配城 4-7 号
电话：025-85430403

南京金泰汽配经营部

主营：拉杆

地址：南京市玄武区墨香路 9 号南京新伊配城 4-13 号
电话：025-85430800

迅 驰 汽 配

主营：滤芯

地址：南京市玄武区墨香路 9 号南京新伊配城 4-14 号
电话：13705291405

南京车王科技有限公司

主营：电喷

地址：南京市玄武区墨香路9号南京新伊配城10-6号
电话：025-85976149

南京久利微型车汽配

主营：微型车

地址：南京市玄武区墨香路9号南京新伊配城10-9号
电话：025-85403748

南京浩丰滤清器厂

主营：三滤

地址：南京市玄武区墨香路9号南京新伊配城10-11号
电话：025-85351539

南京潭尔雅贸易商行

主营：瑞风

地址：南京市玄武区墨香路9号南京新伊配城10-15号
电话：025-85450026

南京强弘物资贸易有限公司

主营：依维柯

地址：南京市玄武区墨香路9号南京新伊配城10-16号
电话：025-83428075

南京卓政物资有限公司

主营：北汽福田

地址：南京市玄武区墨香路9号南京新伊配城11-1号
电话：025-85403955

南京平安汽配分公司

主营：五菱

地址：南京市玄武区墨香路 9 号南京新伊配城 11-4 号
电话：025-85407228

玄武区永江汽配经营部

主营：江铃

地址：南京市玄武区墨香路 9 号南京新伊配城 14-2 号
电话：025-85423634

南京万顺汽配

主营：大众

地址：南京市玄武区墨香路 9 号南京新伊配城 14-3 号
电话：13951643343

南京冀通汽配经营部

主营：钢板

地址：南京市玄武区墨香路 9 号南京新伊配城 14-4 号
电话：025-85410882

南京蒙诺减振器有限公司

主营：减震器

地址：南京市玄武区墨香路 9 号南京新伊配城 14-6 号
电话：025-85367156

南京蚌滤公司

产营：滤清器

地址：南京市玄武区墨香路 9 号南京新伊配城 14-7 号
电话：025-85433982

南京玄武区程汽配

主营：农机

地址：南京市玄武区墨香路 9 号南京新伊配城 16-9 号
电话：025-85433637

浩 隆 汽 配

主营：底盘

地址：南京市玄武区墨香路 9 号南京新伊配城 16-10 号
电话：13777054972

勇兆汽配经营部

主营：汽车油辅料

地址：南京市玄武区墨香路 9 号南京新伊配城 17-1 号
电话：025-85433852

比利斯润滑油经营部

主营：润滑油

地址：南京市玄武区墨香路 9 号南京新伊配城 17-2 号
电话：025-85431031

苏 哈 汽 配

主营：电器

地址：南京市玄武区墨香路 9 号南京新伊配城 17-3 号
电话：025-85406021

南京董盛勇汽配经营部

主营：钢板

地址：南京市玄武区墨香路 9 号南京新伊配城 17-4 号
电话：025-85406013

南京非凡汽车自动变速箱经营部

主营：变速箱

地址：南京市玄武区墨香路 9 号南京新伊配城 17-10 号
电话：025-85293630

南京童程汽配经营部

主营：润滑油

地址：南京市玄武区墨香路 9 号南京新伊配城 18-3 号
电话：025-85437177

南京利汽配件销售中心

主营：康明斯

地址：南京市玄武区墨香路 9 号南京新伊配城 18-5 号
电话：025-85433829

南京群益汽配经营部

主营：刹车片

地址：南京市玄武区墨香路 9 号南京新伊配城 18-7 号
电话：025-85431137

南通市天惠微配大全

主营：长安系列、五菱系列

地址：南通市城港路 187 号南通永举国际车城 8 号楼 A2
电话：0513-85606560

南通市恒达汽配

主营：东南、瑞风、风行、长安

地址：南通市城港路 187 号南通永举国际车城 8 号楼 A3
电话：0513-85600030

无锡广林汽配限公司

主营：进口本田、广州本田、东风本田、全系列原厂零件

地址：无锡市石利新村 39 号 Z11B1312
国道丁村立交桥东 1 号
电话：0510-2407780

江苏无锡市华纳汽车电子电器公司

主营：申光牌汽车高压阻尼战点火线

地址：无锡市石利新村 39 号 Z11B1312
国道丁村立交桥东 2 号
电话：0510-83102217

江苏奥车业有限公司

主营：专业生产：车门

地址：江苏、扬州宝应、 经济开发区
电话：0514-83100858

丹阳市五洲件有限公司

主营：汽车大灯、杠灯、雾灯

地址：江苏省丹阳市界牌镇江旗工业园
电话：0511-6366667

长汽配工业有限公司

主营：生产所有车型的保险杠

地址：江苏省昆山市玉山镇江浦 489 号
电话：0512-57591993

扬州市宏泰机电摩擦材料有限公司

主营：扬州宝应经济开发区

地址：扬州市宏泰宝应经济开发区
电话：0514-8272211

江苏盐城市宏伟汽配

主营：现代、起亚、远舰、赛拉图、嘉华、千里马

地址：江苏省开放大道 58 号盐城市
电话：0515-8186788

常州市南洋轿车配件厂

主营：专业制造：全车饰件、塑件、大众车系：空滤总成大全

地址：常州市新北区孟河卧龙开发区
电话：0519-3552588
3552688

金广联汽车空调有限公司

主营：空调管路、压缩机、冷凝器

地址：武汉市万春汽配城 A089 号
电话：027-83982876

武汉环诚汽配商行

主营：奥迪 A6、红旗、上海大众发动机配件

地址：武汉汉口解放大道 586 号 3506 汽配城 C 区 10 号
电话：027-83730743

武汉金极自动波箱经营部

主营：自动波箱

地址：武汉市汉口青年路 558 号华中汽配市场 1 栋 4 号
电话：027-83797689

武汉润发汽车配件有限公司

主营：东风雪铁龙、东风标致、阳光

地址：武汉市汉阳陆兴大酒店旁
电话：027-84873766

武汉富业汽配

主营：毕加索、

地址：武汉经济技术开发区海天汔配城西
区 14 栋 168 号
电话 ：027-84252519

武 汉 晨 光

主营：毕加索、爱丽舍 16V、标致
307 三江雷诺系列

地址：武汉汉阳区十里铺后迁街 17 号
电话：027-88481187

福州鹏飞进口汽配商行

主营：进口汽油泵、自动变速箱、
大修包及附属配件

地址：福建省福州市福新中路 278 号亚太
汽配城 E-10 号
电话：0591-83619310
13809518155
13328221310

福州鑫东亿公司

主营：福利卡、得力卡、菱帅、菱
绅

地址：福建省福州市福新中路 278 号亚太
汽配城 I 栋 2 号
电话：0591-83954958
83120858
13509356277

海 通 汽 配

主营：五十铃、庆铃、长城皮卡、东南汽车

地址：福州市福新东路 361 号福州晋安汽车城汽配市场 2-29 号

电话：0591-87484939

精 智 挂 气

主营:汽车配件

地址：福州市福新东路 361 号福州晋安汽车城汽配市场 2-30 号

电话：13960760855

浙江临海市铁马制管有限公司福州办事处

主营：汽车配件

地址：福州市福新东路 361 号福州晋安汽车城汽配市场 2-32、33 号

电话：0591-22155151

福州市致力汽车配件有限公司

主营：奔驰、宝马

地址：福州市福新东路 361 号福州晋安汽车城汽配市场 2-34 号

电话：0591-83540983

福 航 汽 配

主营：帕萨特、捷达

地址：福州市福新东路 361 号福州晋安汽车城汽配市场 3-4 号

电话：0591-83118356

福州东南诚信汽车配件公司

主营：东南汽车配件特约经销

地址：福州市福新东路 361 号福州晋安汽车城汽配市场 3-5-8 号

电话：0591-83635954

雅图调漆中心

主营：各类汽车漆

地址：福州市福新东路 361 号福州晋安汽车城汽配市场 3-9 号
电话：0591-83673787

华 盈 汽 配

主营：汽车配件

地址：福州市福新东路 361 号福州晋安汽车城汽配市场 4-6 号
电话：0591-83618685

鸿 发 汽 配

主营：桑塔纳、捷达王

地址：福州市福新东路 361 号福州晋安汽车城汽配市场 4-7 号
电话;0591-83540669

万安制动泵集团

主营：上海琥珀、滤清器

地址：福州市福新东路 361 号福州晋安汽车城汽配市场 7-1、2 号
电话：0591-83619672

日 昌 汽 配

主营：斯太尔、红岩、欧曼

地址：福州市福新东路 361 号福州晋安汽车城汽配市场 7-4-5 号
电话：0591-83540615

福州榕丰起配商行

主营：北京现代、起亚千里马、别克凯越

地址：福州市福新东路 361 号福州晋安汽车城汽配市场 7-9 号
电话：0591-87485057

福州安兴汽配

主营：各类拉线、三滤、刹车片、橡胶制品

地址：福州市福新东路 361 号福州晋安汽车城汽配市场 7-13 号

电话：0591-83540608

海荣汽配商行

主营：24 小时快修、标志强项

地址：福州市福新东路 361 号福州晋安汽车城汽配市场 7-22、34 号

电话：0591-83540623

龙华汽车空调配件

主营：各种汽车空调配件

地址：福州市福新东路 361 号福州晋安汽车城汽配市场 7-23 号

电话：0591-83926458

鑫 达 汽 配

主营：YB 牌涡轮增压器、转向泵、制动泵

地址：福州市福新东路 361 号福州晋安汽车城汽配市场 7-24、36 号

电话：0591-83954166

福州晋安闽达汽车配件公司

主营：斯太尔半挂车配件

地址：福州市福新东路 361 号福州晋安汽车城汽配市场 7-25-27 号

电话：0591-83673701

华 鹏 汽 配

主营：福田时代系列汽车配件专卖

地址：福州市福新东路 361 号福州晋安汽车城汽配市场 7-27、39 号

电话：0591-87319451

新亚汽车护理中心

主营：24 小时专修各类进口车

地址：福州市福新东路 361 号福州晋安汽车城汽配市场 7-40、41 号
电话：0591-83540663

福州永联汽车用品公司

主营：汽车音响、精品

地址：福州市福新东路 361 号福州晋安汽车城汽配市场 7-43-47 号
电话：0591-83618840

福州晋中区华隆皮兴汽配

主营：皮卡全车件

地址：福州亚太汽配城 H 座 13 号
电话：0591-83675083

大丰新奇特快修连锁福州店

主营：汽车快修

地址：福州市福新中路 278 号福州亚太汽配市场 K1-7 号
电话：0591-83675786

万达汽配经营部

主营：汽车配件

地址：福州市福新中路 278 号福州亚太汽配市场 K11 号
电话：059183952830

奥 和 汽 配

主营：汽车配件

地址：福州市福新中路 278 号福州亚太汽配市场 K12 号
电话：0591-83150575

福州佳德汽配商行

主营：各种刹车片、汽油泵、东南汽车配件

地址：福州市福新中路 278 号福州亚太汽配市场 2-6 号
电话：0591-87145563

福州美瑞卡汽车音响装饰连锁

主营：汽车音响、精品

地址：福州市福新中路 278 号福州亚太汽配市场 2-8、9
电话：0591-835440610

福州新盛榕贸易有限公司

主营：汽车配件

地址：福州市福新中路 278 号福州亚太汽配市场 2-10、11 号
电话：0591-83670203

福州鸿马汽保设备超市

主营：汽保设备

地址：福州市福新中路 278 号福州亚太汽配市场 2-12-13、26-27
电话：0591-83540610

福州晋安环达汽车修配行

主营：欧、美车型

地址：福州市福新中路 278 号福州亚太汽配市场 2-14 号
电话：0591-83540673

福州市环宣教自动波箱

主营：汽车配件

地址：福州市福新中路 278 号福州亚太汽配市场 2-19 号
电话：0591-63053531

福州晋安汽配市场大转变

主营：空调、电路维修、里程表调校、气囊电脑复位

地址：福州市福新中路 278 号福州亚太汽配市场 1-13
电话：139059091172

成达汽车维修设备销售服务中心

主营：汽车维修、汽车配件

地址：福州市福新中路 278 号福州亚太汽配市场 1-2 号
电话：0591-83118338

佳木斯丰润轴承有限公司

主营：汽车配件

地址：福州市福新中路 278 号福州亚太汽配市场 1-11 号
电话：0591-83650069

中 联 汽 配

主营：日本品牌零件专卖

地址：福州市福新中路 278 号福州亚太汽配市场 1-12、13 号
电话：0591-83118377

统一电池销售部

主营：汽车电池

地址：福州市福新中路 278 号福州亚太汽配市场 1-25、26 号
电话：0591-83552164

福州海义达汽车配件有限公司

主营：五十铃、东南、本田 24 小时快修

地址：福州市福新中路 278 号福州亚太汽配市场 2-1-3、15-18 号
电话：0591-8350666

杭州丰波机械有限公司

主营：前轮胎、后轮胎、汽车轴承、汽车轮鼓单元

地址：浙江省杭州市萧山区宁围镇丰北村
电话：0571-82871588
82603708

杭州东和汽配贸易公司

主营：北京现代、索纳塔、伊兰特、瑞风商务车、酷派跑车、桑塔纳、桑塔纳3000、

地址：杭州市拱墅金通汽配城内7幢22-23号
电话：0571-88108145
86466239

杭州致友汽配有限公司

主营：丰田佳美、凌志、大霸系列全车配件

地址：杭州市新塘路北路309号浙江汽配城内2280-2281号
电话：0571-86467960

康杰汽配商行第二经营部

主营：日本、德国、美国轿车、面包车、发动机、变速箱、发电机、空调泵、马达、车门

地址：杭州市新塘路北路309号浙江汽配城内2255-2256号
电话：0571-86462043

杭州企联贸易有限公司

主营：马自达系列零配件

地址：杭州市新塘路北路309号浙江汽配城内3090-3091
电话：0571-86455027
86976053

杭州长福汽配公司

主营：长安福特、蒙迪欧2.0、2.5嘉年华1.3、1.6、福克斯

地址：杭州市新塘路北路309号浙江汽配城内
电话：0571-86881416
86881417

杭州中驰汽车配件商行

主营：奔驰、宝马、富豪、积架、保时捷

地址：石桥路 198 号浙江德胜汽配市场内 826 号

电话：0571-86578943
86578985

杭州臻铭贸易有限公司

主营：专业销售奔驰、宝马汽车配件

地址：石桥路 198 号浙江德胜汽配市场内 871-872 号

电话：0571-86578969

杭州华康汽配有限公司

主营：长安福特、蒙迪欧、嘉年华、福克斯

地址：浙江省杭州市新塘路 309 号 2273-2275 号

电话：0571-86469010
86458709

杭州易天汽配

主营：蒙迪欧、嘉年华、福克斯、翼虎

地址：杭州市新塘北路 309 号汽配城内 21 号

电话：0571-86452620
86468142

杭州俊豪贸易有限公司

主营：专营奥迪、红旗全车配件、奥迪 A6、A8、TT 奥迪 4G、5G、C5、A6

地址：杭州新塘北路 305 浙江汽配城内 615-616-617 号

电话：0571-86457582

杭州易联汽配商行

主营：宝来 1.6、1.8、1.8T、本田飞度全车配件

地址：杭州市拱墅区花园岗街 111 号浙江金通汽配城 14 幢 28 号

电话：0571-88108531

杭州大达汽配有限公司

主营：帕萨特 B5、时代骄子、桑塔纳 3000、波罗等全车配件

地址：杭州民山西路 230 号汽配二场东区 23B-25

电话：0571-86967870
86959589

杭州庄臣贸易有限公司

主营：沃尔沃 S80、S40、XC90

地址：杭州良山西路 230 号西区 81-82

电话：0571-86963172
86048435

杭州佳达汽配

主营：南京依维柯系列、30-10、35-10、40-10、410、南京菲亚特系列、派力奥

地址：杭州新塘北路浙江汽配城 111-112 号

电话：0571-8697255

杭州浙江熠盛汽配

主营：北京现代、索纳塔、伊兰特、瑞风等系列全车配件

地址：杭州市新塘路 309 号浙江汽配城 666 号

电话：0571-86469051

浙江奥捷友汽配公司

主营：捷达柴油车、捷达王、捷达全车配件

地址：杭州新塘路汽配城 369 号

电话：0571-86466935
86459615

杭州开华减震器有限公司

主营：别克、君威前后减震器

地址：杭州莫干山路 1323 号新华苑 3101

电话：0571-88176466
88175499

杭州康达汽配

主营：东风风行、宝龙、金程赛风、三菱、广州蓝彩

地址：杭州市新塘路北路309号浙江汽配城1026室

电话：0571-86466028

浙江宏瑞汽配

主营：韩国双龙面包、奔驰MB100、北京现代、大宇、起亚

地址：杭州市新塘路北路浙江汽配城682-683号

电话：0571-86462719

杭州浙江熠盛汽配

主营：索纳塔、伊兰特、瑞风、丰田、尼桑、风神

地址：杭州市新塘路北路浙江汽配城666号营业厅

电话：0571-86469051

杭州市吉胜汽配

主营：上海华普、杰士达、华普M203、303、海尚305

地址：杭州市新塘路北路浙江汽配城353号一楼166号

电话：0571-86976826

杭州市广兴汽配

主营：各类皮卡车、商务车系列

地址：杭州市新塘路北路浙江汽配城123号

电话：0571-86451408

杭州市荆山汽车有限公司

主营：长城、田野、扬子、中兴

地址：杭州市新塘路293-295号

电话：0571-86451408

杭州市顺兴汽配

主营：五十铃、江铃、庆铃、全顺、皮卡

地址：杭州市新塘路北路 309 号浙江汽配城
电话：0571-86458871

杭州市华瑞汽配部

主营：长城、金杯、东风、解放

地址：杭州市新塘路北路 650-651 浙江汽配城
电话：0571-86454899

杭州市东方汽配经营部

主营：皮卡系列、商务丰系列

地址：杭州市新塘路 1121 号
电话：0571-86469408

杭州市恒城汽配

主营：长城、扬子、田野、曙光

地址：杭州市新塘路北路 1057 号浙江汽配城
电话：0571-86461658

浙江省苍南县华康彩印厂

主营：彩条、商标等包装印刷

地址：温州市钱库镇兴中北路 34 号
电话：0571-64475422

金华市华兴汽配批发部

主营：江铃宝典配件、长城赛铃、扬子皮卡配件、曙光 SUV 配件

地址：浙江省金华市人民东路 673 号
电话：0579-2337783

台州市新车模塑有限公司

主营：模塑制品

地址：浙江省台州市黄岩区东城经济开发区
电话：0576-4261588

卡星汽车部件有限公司

主营：皮卡配件

地址：浙江省瑞安市韩田工业区
电话：0577-65334567

温州市东启汽车零件制造公司

主营：专业生产各种刹车泵

地址：浙江省洞头县育才东路 2 号
电话：0577-63483837

慈溪市金达汽车电器有限公司

主营：汽车电器

地址：浙江省慈溪市宗汉街道首西村
电话：0574-63209188

杭州人和汽车漆有限公司

主营：汽车油漆、工具、辅料

地址：杭州市新塘北路 353-361 号杭州浙江汽配城二楼 239 号
电话：0571-86464054

杭州浙江汽配城商源汽配经营部

主营：汽车拉线、卡机、进口油、三滤、橡胶件

地址：杭州市新塘北路 353-361 号

电话：0571-86459499

杭州威玛汽车养护有限公司

主营：汽车美容、养护、装修、修理批发零售

地址：杭州施家花园滨河公寓 11 楼 1102 室
电话：0571-85462291

浙江省余姚市万盛汽车配件厂

主营：生产长城皮卡、金杯海狮等配件、各种罗栓

地址：浙江省余姚市市洪山工业区翁村
电话：0574-623160038

浙江省金华市洪兴汽配批发部

主营：长城皮卡、五十铃皮卡、尼桑皮卡、金杯、小解放

地址：金华市人民东路 610 号
电话：0579-2111878

浙江汽配二场三峰汽配经营部

主营：长城、五十铃、扬子、田野等皮卡

地址：杭州彭富镇董家角 12-2 号
电话：0571-86468181

浙江省路桥宏顺汽配部

主营：经营小解放皮卡

地址：台州路桥泰隆街 518 号

电话：0576-2511310

浙江省瑞安市永恒机械配件厂

主营：生产皮卡部件系列

地址：浙江省瑞安市韩田富强路 25 号

电话：0577-65377966

浙江省玉环县锦辉制动器有限公司

主营：生产汽车、摩托车、总泵、分泵

地址：玉环县珠港镇汽摩工业园区
电话：0576-7297368

台州汇昌机电有限公司

主营：生产汽车动力转向泵、长城、金杯、海狮、桑塔纳等

地址：浙江玉环县坎门海城路
电话：0576-7561697

浙江省瑞安市天行健汽车配件

主营：皮卡配件

地址;瑞安市汽车配件工业园区塘下镇罗凤西路112号
电话：0577-65320321

玉环金泰汽车部件有限公司

主营：生产汽车各种球肖总成、下轴、发动机件、及冲压件

地址：浙江玉环机电工业园区

电话：0576-7282360

杭州企联贸易有限公司

主营：马自达、上海大众、奇瑞

地址：杭州市新塘北路353-361号杭州浙江汽配城3090-3091号食堂池
电话：0571-86455027

杭州仁孚科行技有限公司

主营：原厂仪器

地址：杭州市新塘北路353-361号杭州浙江汽配城东华大厦四单元601室
电话：0571-86881366

杭州浙江汽配城新亿汽配

主营：北京现代、索纳塔、伊兰特

地址：杭州市新塘北路353-361号杭州浙江汽配城北区9-10号
电话：0571-86455306

杭州浙江汽配城申超汽配商行

主营：上海通用、福特系列、

地址：杭州市新塘北路353-361号杭州浙江汽配城北区9-10号
电话：0571-86464151

杭州日升汽配有限公司

主营：丰田

地址：杭州市新源北路353-361号杭州浙江汽配城北区23号
电话：0571-86459135

新象达汽配商行

主营：奥迪15、宝莱、捷达、帕萨特

地址：杭州市新塘北路353-361号杭州浙江汽配城北区71-72号
电话：0571-86995368

杭州运盛工贸有限公司汽配分公司

主营：轮胎、汽配

地址：杭州市新塘北路353-361号杭州浙江汽配城外388号
电话：0571-86465587

杭州旭东汽车配件贸易商行

主营：北京现代配件

地址：杭州新塘路308号
电话：0571-86976848

杭州创亿汽配商行

主营：北京现代、索纳塔、伊兰特

地址：杭州市浙江汽配二场东区 31-32 号

电话：0571-86032217

杭州大达汽配有限公司

主营：上海大众全系列

地址：杭州市浙江汽配二场东区 23B-25 号

电话：0571-86967870

浙江汽配二场恒鑫汽配经营部

主营：飞利浦灯泡、各类汽车灯具

地址：杭州昆山西路 230 号内东区 123B
电话：0571-86984812

杭州浙江汽配城康俞汽配经营部

主营：武汉万通、瑞风、现代、金杯

地址：德胜汽配市场 676-677 号
电话：0571-86578917

杭州亚新贸易有限公司

主营：M6、奥迪、宝马、奔驰、富豪

地址：杭州市新塘北路 353-361 号杭州浙江汽配城内西区 1006-1007 号
电话：0571-86881996

杭州杭日汽配有限公司

主营：丰田汽车零部件

地址：杭州新塘北路 353-361 号杭州浙江汽配城内 01 号
电话：0571-86461096

杭州中高汽车销售有限公司

主营：斯太尔、汽车销售、汽车改装

地址：杭州萧山区北干街道兴议村

电话：0571-82607192

杭州兴明贸易有限公司

主营：尼桑、郑州日产、风神天籁

地址：杭州市新塘北路 353-361 号杭州浙江汽配城内 16 号

电话：0571-86466838

杭州华球汽车配件有限公司

主营：上海大众系列汽车配件

地址：杭州市新塘北路 353-361 号杭州浙江汽配城内 1138-1139 号

电话：0571-86468507

杭州笛汽车技术有限公司

主营：汽车维修、技术服务

地址：杭州市新塘北路 353-361 号杭州浙江汽配城三楼

电话：0571-88121277

杭州市佳丽汽车油漆有限公司

主营：油漆

地址：杭州市瓣塘北路 353-361 号杭州浙江汽配城内 306 号营业厅

电话：0571-86464161

杭州浙江汽配城永昌汽配经营部

主营：微型车系列

地址：杭州市新塘北路 353-361 号杭州浙江汽配城内 10-11 号

电话：0571-86458041

杭州捷捷贸易有限公司

主营：汽车易损件

地址：杭州市新塘北路353-361号杭州浙江汽配城内115-117号
电话：0571-86881405

杭州浙江汽配城瑞利汽配经营部

主营：上海别克、长安福特

地址：杭州市新塘北路353-361号
电话：0571-86467238

杭州浙江汽配城亚太汽配部

主营：日本本田、三菱、尼桑、丰田

地址：杭州市新塘北路353-361号杭州浙江汽配城667-668号
电话：0571-86457915

杭州协盛贸易有限公司

主营：日本三菱汽车配件

地址：杭州新塘北路353-361号杭州浙江汽配城052-093号二楼
电话：0571-86983030

杭州精锋贸易有限公司

主营：汽车轴承

地址：杭州市新塘北路353-361号杭州浙江汽配城二楼686号
电话：0571-86462989

浙江汽配城永辉汽配经营部

主营：五菱系列、昌河系列、哈飞、长安系列等

地址：杭州市新塘北路353-361号杭州浙江汽配城803、836号
电话：0571-86466197

杭州康谊汽配有限公司

主营：海南马自达、富豪

地址：杭州市新塘北路 353-361 号杭州浙江汽配城 818-820

电话：0571-86465626

杭州浙江汽配城立丰经营部

主营：各种皮卡配件

地址：杭州市新塘北路 353-361 号杭州浙江汽配城 856-857 号

电话：0571-86467422

杭州浙江汽配城金牌汽配商行

主营：日产尼桑系列

地址：杭州市新塘北路 353-361 号杭州浙江汽配城 868 号

电话：0571-864604364

杭州北天汽车空调有限公司

主营：汽车空调系列

地址：杭州市新塘北路 353-361 号杭州浙江汽配城 872 号

电话：0571-86461905

杭州浙江汽配城九联汽配商行

主营：轴承、减震器、方向机、助力泵等系列

地址：杭州市新塘北路 353-361 号杭州浙江汽配城 873 号

电话：0571-86451433

浙江汽配城中杭汽配经营部

主营：汽轴器总汇、汽车水箱专卖

地址：杭州市新塘北路 353-361 号杭州浙江汽配城 876-878 号

电话：0571-86462272

杭州市友杰汽车配件有限公司

主营：上海大众系列

地址：杭州市新塘北路 353-361 号杭州浙江汽配城 888-889 号
电话：0571-86466751

杭州浙江汽配城天城汽配经营部

主营：奔驰、花冠、新皇冠、威 姿

地址：杭州市新塘北路 353-361 号杭州浙江汽配城 900 号
电话：0571-86465972

杭州浙江汽配城瑞城汽配经营部

主营：大众、宝莱、奥迪、红旗等系列配件

地址：杭州市新塘北路 353-361 号杭州浙江汽配城 903 号
电话：0571-86467348

杭州浙江汽配城扬光汽配商行

主营：汽车配件、拆车件

地址：杭州市新塘北路 353-361 号杭州浙江汽配城 905 号
电话：0571-86464937

浙江汽配城聚龙汽车玻璃经营部

主营：汽车玻璃、汽车配件

地址：杭州市新塘北路 353-361 号杭州浙江汽配城 923 号
电话：0571-86463964

杭州富民汽配有限公司

主营：依维柯配件、全旅客车中心库

地址：杭州市新塘北路 353-361 号杭州浙江汽配城 1013-1015
电话：0571-86462350

杭州浙江汽配城康达汽配经营部

主营：东风风行、广州宝龙、各种车彩条

地址：杭州市新塘北路 353-361 号杭州浙江汽配城 126 号
电话：0571-86466028

杭州友谊汽车配件有限公司

主营：别克汽车配件、进口国产汽车轴承

地址：杭州市新塘北路 353-361 号杭州浙江汽配城 1050 号
电话：0571-86452272

浙江汽配城陆佳汽配经营部

主营：微型车大全、各种挂车件

地址：杭州市新塘北路 353-361 号杭州浙江汽配城 1072-1076 号
电话：0571-86462598

杭州浙江汽配城长福汽配商行

主营：长安福特、蒙迪欧、嘉年华

地址：杭州市新塘北路 353-361 号杭州浙江汽配城 1078-1079 号
电话：0571-86881416

杭州东菱汽配有限公司

主营：东南配件、万向轴承

地址：杭州市新塘北路 353-361 号杭州浙江汽配城 1080-1081 号
电话：0571-86461891

杭州各豪汽配有限公司

主营：本田、蒙迪欧、嘉年华

地址：杭州市新塘北路 353-361 号杭州浙江汽配城二楼 195 号
电话：0571-86463156

杭州亚虎汽配有限公司

主营：专营东南配件、星月刹车片

地址：杭州市新塘北路 353-361 号杭州浙江汽配城 1108 号
电话：0571-86451798

浙江汽配城飞燕汽配商行

主营；上海通用全系列、纯正配件、别克、春威等

地址：杭州市新塘北路 353-361 号杭州浙江汽配城 1111 号
电话：0571-86976646

杭州浙江汽配城豪天汽配商行

主营：上海通用、长安福特

地址：杭州市新塘北路 353-361 号杭州浙江汽配城 1130 号
电话：0571-86881478

杭州浙江汽配城北联汽配经营部

主营：轴承、传动轴、解放、底盘

地址：杭州市新塘北路 353-361 号杭州浙江汽配城 1133 号
电话：0571-86457668

杭州钱杨软轴有限公司

主营：汽车拉线、换位软轴、里程表软轴批发

地址：杭州市新塘北路 353-361 号杭州浙江汽配城 2011 号
电话：0571-86466182

杭州百摹大汽配有限公司

主营：奔驰、宝马、富豪

地址：杭州市新塘北路 353-361 号杭州浙江汽配城 2039 号
电话：0571-86469539

杭州财旺汽配经营部

主营：变速箱、S6-90、G805、专营金龙配套

地址：杭州市新塘北路353-361号杭州浙江汽配城2065号
电话：0571-86451999

杭州振亚汽配经营部

主营：汽车配件

地址：杭州市新塘北路353-361号杭州浙江汽配城2072-2073号
电话：0571-86457751

杭州康鑫汽配有限公司

主营；江铃、庆铃、全顺、皮卡件、汽车油漆

地址：杭州市新塘北路353-361号杭州浙江汽配城2079-2080号
电话：0571-86461969

杭州浙江汽配城麟踞浦汽配商行

主营：刹车片、刹车盘、滤心

地址：杭州市新塘北路353-361号杭州浙江汽配城2081号
电话：0571-86973286

杭州汽配城嘉禾汽配供应站

主营：上海大众

地址：杭州市新塘北路353-361号杭州浙江汽配城1178号
电话：0571-86456914

杭州浙江汽配城华宏汽配商行

主营：德国尼奥普兰、金华北方、北京北方汽车配件

地址：杭州市新塘北路353-361号杭州浙江汽配城1185号
电话：0571-86881595

杭州浙江汽配城豪情汽配商行

主营：美日、豪情、华普、优利欧、自由舰、美人豹

地址：杭州市新塘北路 353-361 号杭州浙江汽配城 1191 号

电话：0571-86463230

杭州汽车城汽配分场新佳勒汽配商行

主营：丰田、本田全车系列、汽车维修

地址：杭州市新塘北路 353-361 号杭州浙江汽配城 1230 号

电话：0571-86458879

杭州浙江汽配城柴东汽配供应站

主营：东风、康明斯

地址：杭州市新塘北路 353-361 号杭州浙江汽配城 2007-2008 号

电话：0571-8663029

杭州运航汽配有限公司

主营：北京切诺基、上海别克、欧兰德

地址：杭州市新塘北路 353-361 号杭州浙江汽配城 2009 号

电话：0571-86460011

浙江汽配城东南五一汽车油漆配件商行

主营：汽车油漆、配件

地址：杭州市新塘北路 353-361 号杭州浙江汽配城 2296-2297 号

电话：0571-86881829

杭州协通贸易有限公司

主营：汽车配件、轮胎修补

地址：杭州市新塘北路 353-361 号杭州浙江汽配城 2301-2303 号

电话：0571-86973176

杭州浙江汽配城荣新汽配经营部

主营：风神蓝鸟、郑州皮卡、尼桑系列

地址：杭州市新塘北中路 353-361 号杭州浙江汽配城 2329 号五期
电话：0571-86462617

杭州浙江汽配城一洋汽配商行

主营：东风日产、郑州日产、

地址：杭州市新塘北中路 353-361 号杭州浙江汽配城 2356-2357 号五期
电话：0571-86461095

杭州长盛汽车配件有限公司

主营：奔驰、宝马、沃尔沃

地址：杭州市新塘北中路 353-361 号杭州浙江汽配城 2361 号五期
电话：0571-86454293

杭州宏大汽配有限公司

主营：上海大众配件及坦博润滑油

地址：杭州市新塘北中路 353-361 号杭州浙江汽配城 2368 号五期
电话：0571-86466120

浙江汽配城财运汽配经营部

主营：上海大众系列

地址：杭州市新塘北中路 353-361 号杭州浙江汽配城 2082-2083 号五期
电话：0571-86455469

杭州嘉禾果业贸易商行

主营：汽车橡服配件

地址：杭州市新塘北中路 353-361 号杭州浙江汽配城 2106-2107 号五期
电话：0571-86973318

杭川华阳汽配有限公司

主营：桑塔纳、帕萨特、红旗、奥迪

]地址：杭州市新塘北中路 353-361 号杭州浙江汽配城 2115 号五期
电话：057186465140

杭州中豪汽配商行

主营：大众系列

地址：杭州市新塘北中路 353-361 号杭州浙江汽配城 2116 号五期
电话：0571-86469731

杭州浙江汽配城续发汽配经营部

主营：转向机、助力泵等

地址：杭州市新塘北中路 353-361 号杭州浙江汽配城 2259 号五期
电话：0571-86453465

杭州浙江汽配城华康汽配经营部

主营：长安福特、蒙迪欧、嘉年华、江铃、庆铃

地址：杭州市新塘北中路 353-361 号杭州浙江汽配城 2273-2275 号五期
电话：0571-86454446

杭州市江平区宏迪增压器经营部

主营：各种型号涡轮增压器

地址：杭州市新塘北中路 353-361 号杭州浙江汽配城北区 8 号
电话：0571-86457797

杭州天成汽车配件有限公司

主营：批发零件、汽车配件

地址：杭州市新塘北中路 353-361 号杭州浙江汽配城内
电话：0571-86450942

杭州浙江汽配城美润特油行

主营：埃克森美孚润滑油等机油

地址：杭州市新塘北中路 353-361 号杭州浙江汽配城 8 号
电话：0571-86466999

杭州浙江汽配城恒发汽配部

主营：广州本田、飞度

地址：杭州市新塘北中路 353-361 号杭州浙江汽配城 21 号
电话：0571-86452620

杭州五洲汽配有限公司

主营：北京、江淮、跃进系列货车

地址：杭州市新塘北中路 353-361 号杭州浙江汽配城 26-27 号
电话：0571-86460398

杭州浙江汽配城金大汽配经营部

主营：二汽东风、东风小霸王多利卡

地址：杭州市新塘北中路 353-361 号杭州浙江汽配城 28-29 号
电话：0571-86453764

杭州浙江汽配城之江汽配部

主营：金龙、宇通客车

地址：杭州市新塘北中路 353-361 号杭州浙江汽配城 110 号
电话：0571-86463269

杭州晟杰贸易有限公司

主营 ：机油、灯泡、车饰、电瓶

地址：杭州市中北大厦
电话：0571-86465101

杭州安旭汽车装潢用品有限公司

主营：汽车护理品、空调配件

地址：杭州市新塘北中路353-361号杭州浙江汽配城126号
电话：0571-86457703

杭州浙江汽配城宏和汽配经营部

主营：丰田、凌志、佳美

地址：杭州市新塘北中路353-361号杭州浙江汽配城133号
电话：0571-86462876

杭州浙江汽配城飞翔汽配部

主营：日野、三菱、五十铃挖机配件

地址：杭州市新塘北中路353-361号杭州浙江汽配城182号
电话：0571－86462006

杭州博澜贸易有限公司

主营：汽车音响、横向件、各种车轮盖

地址：杭州市新塘北中路353-361号杭州浙江汽配城188-190号
电话：0571－86454359

杭州顺航贸易有限公司

主营：一汽马自达、海南马自达、马自达系列

地址：杭州市新塘北中路353-361号杭州浙江汽配城1123号
电话：0571－86461506

杭州路神贸易有限公司

主营：宝来、捷达、奥迪、帕萨特

地址：杭州市新塘北中路353-361号杭州浙江汽配城1157-1158号
电话：0571－86462324

杭州浙江汽配城茂昌汽车空调商行

主营：大巴、中巴汽车空调配件

地址：杭州市新塘北中路 353-361 号杭州浙江汽配城 1165 号
电话：0571－86462368

杭州锴航汽车配件有限公司

主营：厦门金龙、郑州宇通、东风大客车配件

地址：杭州市新塘北中路 353-361 号杭州浙江汽配城 1181 号
电话：0571－86457408

杭州浙江汽配城金球汽配经营部

主营：清洗器、刹车片、皮带、离合器片等

地址：杭州市新塘北中路 353-361 号杭州浙江汽配城 1186 号
电话：0571－86468148

杭州车龙汽车用品有限公司

主营：批发零售汽车配件、汽车用品

地址：杭州市新塘北中路 353-361 号杭州浙江汽配城 1200 号
电话：0571－86467179

浙江永生汽配有限公司

主营：一汽大众、上海大众

地址：杭州市新塘北中路 353-361 号杭州浙江汽配城 2001-2002 号
电话：0571-86460706

杭州锦天贸易有限公司

主营：一汽马自达、海南马自达、日本马自达

地址：杭州市新塘北中路 353-361 号杭州浙江汽配城 2005-2006 号
电话：0571－86464001

杭州鑫宝汽配有限公司

主营：江淮、跃进、福田、黑豹

地址：杭州市新塘北中路 353-361 号杭州浙江汽配城食堂外仓库
电话：0571－86452940

杭州浙江汽配城车康汽配商行

主营：东风、康明斯、全车配件

地址：杭州市新塘北中路 353-361 号杭州浙江汽配城 2075-2077 号
电话：0571－86457824

杭州航舰汽车配件有限公司

主营：贵舰配套产品、上海大众、一汽大众

地址：杭州市新塘北中路 353-361 号杭州浙江汽配城 2085 号
电话：0571-86455422

杭州浙江汽配城龙达汽配商行

主营：刹车片、刹车盘、滤清器

地址：杭州市新塘北中路 353-361 号杭州浙江汽配城 2100 号
电话：0571-86468509

杭州威威贸易有限公司

主营：帕萨特Ｂ５、本田

地址：杭州市新塘北中路 353-361 号杭州浙江汽配城内 181 号
电话：057186457770

杭州申令贸易有限公司

主营：博世、盖茨、豹王等汽配件

地址：杭州市新塘北中路 353-361 号杭州浙江汽配城内 289 号
电话：0571-86457092

杭州剑盛汽车有限公司

主营：神楷富康、东风雪铁龙、307标志

地址：杭州市新塘北中路353-361号杭州浙江汽配城内361号
电话：0571－86455110

杭州浙江汽配城金杰汽配商行

主营：北汽福田、一汽红塔、发电机组

地址：杭州市新塘北中路353-361号杭州浙江汽配城2329号五期
电话：0571－86466272

杭州浙江汽配城昊晨汽配部

主营：锡柴、大柴、玉柴系列

地址：杭州市新塘北中路353-361号杭州浙江汽配城内368号
电话：0571－86468522

杭州浙江汽配城江南汽配商行

主营：康明斯、东风、解放汽车配件

地址：杭州市新塘北中路353-361号杭州浙江汽配城内387号
电话：0571－86459837

杭州浙江汽配城康灵汽车电器商行

主营：汽车电器批发零售

地址：杭州市新塘北中路353-361号杭州浙江汽配城内389-391号
电话：0571－86096673

杭州云海汽车配件有限公司

主营：一汽大众、上海大众

地址：杭州市新塘北中路353-361号杭州浙江汽配城内530号（二楼）
电话：0571－86463503

杭州全贸易有限公司

主营：普桑、3000型、帕萨特、高尔

地址：杭州市新塘北中路353-361号杭州浙江汽配城内656-658号
电话：0571－86961698

杭州浙江汽配城佳和汽经营部

主营：东南得利卡、富利卡、东风风行

地址：杭州市新塘北中路353-361号杭州浙江汽配城内661-663号
电话：0571－86467808

杭州瑞凯汽车配件公司

主营：日产系列、风神蓝鸟系列

地址：杭州市新塘北中路353-361号杭州浙江汽配城1001-1003号
电话：0517－86466928

杭州浙江汽配城新福田汽配供应站

主营：北京奥铃、一汽红塔、山东黑豹、北汽福田

地址：杭州市新塘北中路353-361号杭州浙江汽配城1122-1123号
电话：0571－56373717

杭州浙江汽配城瑞众汽配商行

主营：上海大众、帕萨特Ｂ５、Ｖ６、波罗

地址：杭州市新塘北中路353-361号杭州浙江汽配城2312-2313号五期
电话：0571－86463333

杭州汽配二场益达汽配商行

主营：奔驰，宝马配件

地址：杭州市新塘北中路353-361号杭州浙江汽配城2339号五期
电话：0571-86976478

瑞安市达丰汽车部件有限公司

主营：电机、线束系列、开关系列、电子控制器与传感器系列等众多部件

地址：浙江瑞安市安阳镇薛前工业区上旺东路 5 号
电话：0577－65137718

瑞安市天欧机车部件有限公司

主营：轿车散热器风扇；诚征各省市代理商

地址：浙江瑞安市塘夏汽摩配园区天欧企业
电话：86－577－65385000
65385155

福陈汽车雨刮器

主营：专业生产重型客货车、轿车、微型车、农用车刮水器系列

地址：浙江瑞安市新坊工业区
电话：0577－65361613

温州法雷奥汽车电器有限公司

主营：汽车上的电子点火器、传感器、分电器、发电机调节器等系列电子产品

地址：浙江瑞安市海安海光路 14 号
电话：86－577－65271121
65276885

瑞立集团瑞莱特汽车照明有限公司

主营：瑞立石英灯；诚征各地经销商

地址：浙江瑞安经济开发区毓蒙路1169号瑞立工业园
电话：0577－65609836
65665530

瑞安市名冠电气有限公司

主营：专业生产：散热风扇、电子调节器、电动燃油泵、电喇叭系列

地址：浙江瑞安市塘下镇陈宅工业区
电话：0088－577－65371168
65372257

浙江松田汽车机电系统有限公司

主营：散热器风扇系列、电动玻璃升降器系列、刮水电机及总成系列、启动电机系列、空调鼓风机系列

地址：浙江瑞安北工业园区
电话：0086－577－25628888

名洲汽车零部件有限公司

主营：转向助力泵

地址：浙江瑞安市塘下上马工业区
电话：0086－577－65220558

浙江嘉束顿活塞制造有限公司

主营：专业设计、开发、制造汽车、摩托车、通用汽油机等各种内燃机、空压机、压缩机的活塞；活塞销售及销卡簧企业

地址：浙江瑞安火车站南路（渔墩）

电话：0577－65533388

浙江万里安全器材料

主营：专业生产汽车安全带

地址：浙江瑞安市十八家工业区宝隆路 15 号

电话：0577－65814912

瑞安市金鹏电器长

主营：专业生产各车型电磁启发、电磁电源开关、各种汽车电子电器

地址：浙江瑞安市鲍二工业区

电话：0577－65213619

58883606

温州力邦企业有限公司

主营：专业生产汽车制动泵系列产品

地址：浙江瑞安市塘下花园工业区

电话：0577－65208889

瑞安市胜凯机械零部件

主营：生产丰田、尼桑、本田、三菱、马自达、东南福特、菲亚特等车型桥梁系列，悬挂系列、球头系列、机盖锁、中尺等底盘件产品

地址：浙江瑞安市塘下镇海安工业区
电话：0577－65278687
65270373

浙江泰德汽车零部件有限公司

主营：专业制造汽车散热器

地址：浙江杭州仁和镇工业园
电话：0571－86396977

玉环县华龙汽车部件厂

主营：制动泵

地址：浙江省玉环珠港镇东安海港西路
电话：0086－0576－7555488

玉环巨和橡胶制品有限公司

主营：专业制造汽车橡胶减震系统零部件

地址：浙江省玉环县汽摩工业园区
电话：0576－7281731
7281732

温州博泰减震器有限公司

主营：NEW、本田 CRV、本田 CRV 后机、马自达、323BF 后机、马自达 323BF 前机

地址：浙江省温州龙湾海城工业区
电话：85－577－855228042
85228043

浙江省玉环县鹏佳达汽车配件厂

主营：专业生产燃油泵

地址：浙江省玉环县坎门操场路 9 号
电话：0576－7555244

玉环县恒宝机械制造有限公司

主营：前轮毂系列、后轮毂系列、后短轴颈系列、半轴凸缘系列、法兰盘系列、轮胎螺栓系列等

地址：浙江省玉环县后塘氧工业区
电话：0086－576－7283177

白州东都制动器有限公司

主营：专业生产汽车制动总泵、分泵、离合器总泵、分泵

地址：浙江省玉环县珠港镇坎门后沙街
电话：0576－7552265

浙江科尔博机械有限公司

主营：制造全球各种车型等速万节及全驱动轴总成

地址：浙江玉环县珠港镇汽摩配工业园
电话：0086－576－7238379

白州华龙离合器有限公司

主营：生产离合器钢片、离合器、压盘

地址：浙江玉环县汽摩工业园区
电话：86－576－7277003

无锡安尔达活塞环厂

主营：生产微型汽车、摩托车、通州汽油机、汽车空调压缩机活塞环及各种非标活塞环的专业厂

地址：浙江无锡市东郊廊下工业区
电话：0510－88332389

安达科技发展有限公司

主营：碳换向器、燃油泵、燃油泵电枢

地址：浙江磐安工业区磐新公路 888 号
电话：0579－4793888
4793777

合肥世尊物资贸易有限公司

主营：瑞风系列

地址：合派路 55-58 号桃花工业园
电话：13601453593
13951683730

合肥杰成汽车音响经营部

主营：音响

地址：合肥市长江东路 714 号合肥汽配城
C 区 3 座 15 号
电话：0551-4231776

合肥天天汽配经营部

主营：富康系列配件

地址：合肥市长江东路 714 号合肥汽配城
C 区 3 座 18-32 号
电话：0551-4229783

合肥利群汽车油漆商行

主营：福田漆

地址：合肥市长江东路 714 号合肥汽配城
C 区 3 座 19-20 号
电话：0551-4238715

合肥金乐汽配

主营：奇瑞配件

地址：合肥市长江东路 714 号合肥汽配城
C 区 3 座 18-32 号
电话：0551-7123508

合肥德宏汽配经营部

主营：富康、东南、三菱等配件

地址：合肥市长江东路 714 号合肥汽配城
C 区 3 座 18-32 号
电话：0551-7123484

合肥洲杰汽配经销部

主营：各种型灯具、倒车镜保险杠

地址：合肥市长江东路 714 号合肥汽配城
C 区 3 座 18-32 号
电话：0551-7123650

合肥冉冉汽车空调用品经营部

主营：防盗器、太阳膜、润滑脂等用品

地址：合肥市长江东路 714 号合肥汽配城
C 区 3 座 18-32 号

合肥意达润滑油经营部

主营：润滑油

地址：合肥市长江东路 714 号合肥汽配城
A 区 1 座 716 号

合肥恒发汽配商行

主营：大众系列配件

地址：合肥市长江东路 714 号合肥汽配城
A 区 1 座 718 号
电话：0551-4219958

合肥通达汽配经营部

主营：大众系列配件

地址：合肥市长江东路 714 号合肥汽配城
A 区 1 座 718 号
电话：0551-4221850

合肥微型汽车工业有限公司

主营：微型车配件

地址：合肥市长江东路 714 号合肥汽配城
A 区 1 座 720 号
电话：0551-4234499

合肥恒通汽配经营部

主营：尼桑、丰田系列配件

地址：合肥市长江东路 714 号合肥汽配城
C 区 5 座 45 号
电话：0551-4232286

合肥安保汽配经营部

主营：电器

地址：合肥市长江东路 714 号合肥汽配城
C 区 5 座 47-48 号
电话：0551-3380346

合肥一代汽车装潢

主营：汽车装饰及种类精品系列

地址：合肥市长江东路 714 号合肥汽配城
C 区 5 座 49 号
电话：0551-4221595

合肥恒康汽配经营部

主营：高压管、液压管、刹镜

地址：合肥市长江东路 714 号合肥汽配城
C 区 5 座 51 号
电话：0551-7123737

浙江邮购鸥佳动带有限公司

主营：包布带、农机皮带

地址：合肥市长江东路 714 号合肥汽配城
C 区 4 座 54 号
电话：0551-4233258

合肥天竹汽车玻璃服务部

主营：各种汽车玻璃

地址：合肥市长江东路 714 号合肥汽配城
C 区 4 座 55 号
电话：0551-42399841

合肥长生汽配经营部

主营：东南、尼桑配件

地址：合肥市长江东路 714 号合肥汽配城
C 区 2 座 27-28 号
电话：0551-4218041

合肥中源汽车配件公司

主营：滤清器

地址：合肥市长江东路 714 号合肥汽配城
C 区 2 座 29-30 号
电话：0551-4214555

合肥顺昌润滑油经营部

主营：润滑油

地址：合肥市长江东路 714 号合肥汽配城
C 区 2 座 31 号
电话：0551-4214555

合肥利群油漆商行

主营：福田漆

地址：合肥市长江东路 714 号合肥汽配城
C 区 2 座 32 号
电话：0551-4238715

合肥金穗空调装潢商行

主营：空调系列

地址：合肥市长江东路 714 号合肥汽配城
C 区 5 座 43 号
电话：0551-4218799

合肥金辉汽车装潢部

主营：汽车装潢 CD 防盗器等用品

地址：合肥市长江东路 714 号合肥汽配城
C 区 5 座 44 号
电话：0551-4228873

合肥杭万汽配经营部

主营：各种汽车刹车片刹车蹄齿轮

地址：合肥市长江东路 714 号合肥汽配城 D 区 1 座 614、615 号
电话：0551-4215907

合肥金兰商贸有限公司

主营：东南得利卡、富丽卡纯正配件

地址：合肥市长江东路 714 号合肥汽配城 D 区 1 座 620 号
电话：0551-4242170

合肥海燕汽车用品商行

主营：装潢用品

地址：合肥市长江东路 714 号合肥汽配城 D 区 1 座 620 号-1
电话：0551-7123577

合肥龙腾汽配经销部

主营：橡胶件

地址：合肥市长江东路 714 号合肥汽配城 D 区 2 座 628 号
电话：0551-4232772

合肥百分百汽车用品商行

主营：百维雨刮片、喇叭地板等

地址：合肥市长江东路 714 号合肥汽配城 D 区 2 座 626 号
电话：0551-4243861

合肥鹏达汽配经营部

主营：上海涡轮、增压气

地址：合肥市长江东路 714 号合肥汽配城 D 区 2 座 627、628 号
电话：0551-4222684

合肥伟业汽车装潢

主营：装潢用品

地址：合肥市长江东路 714 号合肥汽配城 B 区 6 座 391-392 号
电话：0551-4226785

合肥恒安汽配经营部

主营：空调系统冷凝器

地址：合肥市长江东路 714 号合肥汽配城 D 区 1 座 603-604 号
电话：0551-7123669

合肥大东方汽配经营部

主营：昌河、飞虎各种车型钢板、玻璃

地址：合肥市长江东路 714 号合肥汽配城 D 区 1 座 605 号
电话：0551-7124656

合肥信保汽配经营部

主营：金杯、皮卡、解放等配件

地址：合肥市长江东路 714 号合肥汽配城 D 区 1 座 606-607 号
电话：0551-7123703

合肥江峰汽车用品经营部

主营：高档手缝地板、座套等用品

地址：合肥市长江东路 714 号合肥汽配城 D 区 1 座 608-609 号
电话：0551-7123705

合肥振兴汽配经营部

主营：大众系列配件

地址：合肥市长江东路 714 号合肥汽配城 D 区 1 座 612-613 号
电话：0551-5200130

合肥金利华汽配商行

主营：丰田、海狮系列等配件

地址：合肥市长江东路 714 号合肥汽配城 B 区 5 座 356-357 号
电话：0551-7123521

合肥大昌汽配经营部

主营：加工各种车型、空调等

地址：合肥市长江东路 714 号合肥汽配城 B 区 5 座 362 号
电话：0551-4225971

合肥南翔汽配经营部

主营：捷达、夏利、长安全厂配件批发

地址：合肥市长江东路 714 号合肥汽配城 B 区 5 座 366-367 号
电话：0551-7123599

合肥荆龙经营部

主营：汽车水泵和发动机排水管

地址：合肥市长江东路 714 号合肥汽配城 B 区 5 座 369 号
电话：0551-7123712

合肥新星汽配经营部

主营：经营各种类机油

地址：合肥市长江东路 714 号合肥汽配城 B 区 5 座 370-372 号
电话：0551-4239487

合肥吉利汽车轴承经销处

主营：各种轴承

地址：合肥市长江东路 714 号合肥汽配城 B 区 5 座 373-374 号
电话：0551-7123699

合肥清江汽配经销部

主营：橡胶件

地址：合肥市长江东路714号合肥汽配城B区5座348-349号
电话：0551-4224828

合肥腾远灯具经营店

主营：各种进口、国产汽车灯具

地址：合肥市长江东路714号合肥汽配城B区5座350号
电话：0551-4222122

合肥康达底盘件批发中心

主营：方向机、前桥

地址：合肥市长江东路714号合肥汽配城B区5座351号
电话：0551-7124591

合肥新达汽配

主营：瑞风、商务车原厂配件

地址：合肥市长江东路714号合肥汽配城B区5座352号
电话：0551-7124626

合肥福马汽配经营部

主营：马自达

地址：合肥市长江东路714号合肥汽配城B区5座353号
电话：0551-7123648

合肥众力汽配经营部

主营：五十铃配件

地址：合肥市长江东路714号合肥汽配城B区5座354-355号
电话：0551-4220052

合肥永盛汽配商行

主营：三菱、东南系列等配件

地址：合肥市长江东路 714 号合肥汽配城 B 区 3 座 342 号
电话：0551-4243090

合肥庆菊汽配经营部

主营：依维点配件

地址：合肥市长江东路 714 号合肥汽配城 B 区 4 座 343 号
电话：0551-4211966

合肥丰贸汽配经营部

主营：制动泵、皮带、水管各种橡胶

地址：合肥市长江东路 714 号合肥汽配城 B 区 4 座 344 号
电话：0551-4232530

合肥华贸汽配经营部

主营：底盘件

地址：合肥市长江东路 714 号合肥汽配城 B 区 4 座 345 号
电话：0551-4224239

合肥中星液压汽配商行

主营：各种车型助力器、齿轮泵转阀

地址：合肥市长江东路 714 号合肥汽配城 B 区 4 座 346 号
电话：0551-4237954

合肥盛润滑油经销处

主营：润滑油

地址：合肥市长江东路 714 号合肥汽配城 B 区 5 座 347 号
电话：0551-7123736

合肥金澜特种润滑油有限公司

主营：汽柴机油、机械油、液压油

地址：合肥市长江东路 714 号合肥汽配城 B 区 3 座 334-335 号
电话：0551-4221462

合肥升平润滑油商行

主营：润滑油

地址：合肥市长江东路 714 号合肥汽配城 B 区 3 座 336 号
电话：0551-4228869

合肥海加润滑油经营部

主营：加德士润滑油

地址：合肥市长江东路 714 号合肥汽配城 B 区 3 座 337 号
电话：0551-4216606

合肥山山汽配经营部

主营：离合器片

地址：合肥市长江东路 714 号合肥汽配城 B 区 3 座 338 号
电话：0551-4223249

合肥金路汽配经营部

主营：底盘件

地址：合肥市长江东路 714 号合肥汽配城 B 区 3 座 340 号
电话：0551-4224146

合肥闽仙汽配商行

主营：汽车电机、起动机、电子泵

地址：合肥市长江东路 714 号合肥汽配城 B 区 3 座 341 号
电话：0551-7124580

合肥京南汽配经营部

主营：BJ130-104、151 等底盘配件

地址：合肥市长江东路 714 号合肥汽配城 B 区 3 座 312-318 号
电话：0551-4231808

合肥豪科斯贸易有限公司

主营：进口油、气门、正时带风扇带

地址：合肥市长江东路 714 号合肥汽配城 B 区 3 座 329 号
电话：0551-4237615

合肥亚东汽配贸易有限公司

主营：进口汽车广州本田、日产尼桑配件

地址：合肥市长江东路 714 号合肥汽配城 B 区 3 座 331-1 号
电话：0551-4224139

合肥翔宇汽配商行

主营：润滑油大全

地址：合肥市长江东路 714 号合肥汽配城 B 区 3 座 331-332 号
电话：0551-4219969

合肥皖宁汽配经营部

主营：变速齿轮、轴承改装车底盘件

地址：合肥市长江东路 714 号合肥汽配城 B 区 3 座 322-2 号
电话：0551-4228261

合肥东南汽配经营部

主营：东南底盘件

地址：合肥市长江东路 714 号合肥汽配城 B 区 3 座 333 号
电话：0551-4216044

合肥中运汽车商行

主营：昌河 CJ、上海电器及油料

地址：合肥市长江东路 714 号合肥汽配城 B 区 2 座 311 号
电话：0551-4221691

合肥武进汽车电机经营部

主营：专营起动机、发电机及零部件

地址：合肥市长江东路 714 号合肥汽配城 B 区 2 座 313 号
电话：0551-4212554

合肥劲弓汽配经营部

主营：康明斯、东风小霸王、轻卡等配件

地址：合肥市长江东路 714 号合肥汽配城 B 区 2 座 314 号
电话：0551-7124619

合肥澳美佳汽配经销部

主营：车门封条、档风胶条、玻璃胶

地址：合肥市长江东路 714 号合肥汽配城 B 区 2 座 316 号
电话：0551-4224462

合肥和顺经营部

主营：各种国产车型配件、紧固件

地址：合肥市长江东路 714 号合肥汽配城 B 区 2 座 318 号
电话：0551-4232711

合肥超胜汽车电器经营部

主营：汽车、叉车、门锁等电器

地址：合肥市长江东路 714 号合肥汽配城 B 区 2 座 319 号
电话：0551-4229720

合肥正大汽配超市

主营：解放 141、142 内燃机及底配件

地址：合肥市长江东路 714 号合肥汽配城 B 区 3 座 321 号
电话：055-7124592

合肥神力汽配经营部

主营：各种汽车电器

地址：合肥市长江东路 714 号合肥汽配城 B 区 3 座 322 号
电话：0551-4238297

合肥合发汽配经营部

主营：各种车型灯具

地址：合肥市长江东路 714 号合肥汽配城 B 区 3 座 363-364 号
电话：0551-4229118

合肥宁远柴油车配件经营部

主营：无锡、玉林增压气

地址：合肥市长江东路 714 号合肥汽配城 B 区 3 座 323 号
电话：0551-4224215

合肥合集汽配有限公司

主营：151、141、140 系列底盘件配件

地址：合肥市长江东路 714 号合肥汽配城 B 区 3 座 325-326 号
电话：0551-4210752

合肥高远汽车服务有限公司

主营：大众系列配件

地址：合肥市长江东路 714 号合肥汽配城 B 区 3 座 621-623 号
电话：0551-7123568

合肥仪征汽配门市部

主营：金杯、仪征系列配件

地址：合肥市长江东路714号合肥汽配城B区2座280号
电话：0551-4229858

合肥金顶汽保有限公司

主营：各种汽车工具

地址：合肥市长江东路714号合肥汽配城B区2座282号
电话：0551-13705512073

合肥安顺汽配经营部

主营：专营依维柯系列配件

地址：合肥市长江东路714号合肥汽配城B区2座318号
电话：0551-4213811

合肥锦江汽配经营部

主营：各种名优汽车灯泡、农机灯泡

地址：合肥市长江东路714号合肥汽配城B区2座302号
电话：0551-7123518

合肥紧聚兴汽配商行

主营：北京130、212、1041等零件

地址：合肥市长江东路714号合肥汽配城B区2座304号-2
电话：0551-4231042

合肥金五星汽车配件商行

主营：专营红旗、奥迪、桑塔纳配件

地址：合肥市长江东路714号合肥汽配城B区2座305-306号
电话：0551-4214341

合肥泰兴汽配经营部

主营：橡胶垫

地址：合肥市长江东路 714 号合肥汽配城 B 区 2 座 272 号
电话：0551-4228784

合肥万村汽车配件经营部

主营：HF6700、6600 农用车底盘件

地址：合肥市长江东路 714 号合肥汽配城 B 区 2 座 273 号
电话：0551-4230857

合肥天虹汽配

主营：销售国产轻型汽车变速箱配件

地址：合肥市长江东路 714 号合肥汽配城 B 区 2 座 274 号
电话：0551-4215545

合肥新港汽配有限责任公司

主营：收放机、危电机、电瓶

地址：合肥市长江东路 714 号合肥汽配城 B 区 2 座 277 号
电话：0551-4228614

合肥在兴汽车配件批了部

主营：制动泵、离合泵、水泵、油封

地址：合肥市长江东路 714 号合肥汽配城 B 区 2 座 278 号
电话：0551-4236181

合肥南华汽配经营部

主营：杨子、长城等全车配件及润滑油

地址：合肥市长江东路 714 号合肥汽配城 B 区 2 座 279 号
电话：0551-4228183

合肥金润汽车维修部

主营：各种进口手动、气动维修工具

地址：合肥市长江东路714号合肥汽配城B区1座240-242号
电话：0551-4238126

合肥鸿伟汽修工具行

主营：汽车维修工具

地址：合肥市长江东路714号合肥汽配城B区1座238、262-263号
电话：0551-4222985

合肥二利汽修设备工具经营部

主营：进口、国产轮胎半轴套

地址：合肥市长江东路714号合肥汽配城B区2座260-261号
电话：0551-4215099

合肥中晟汽车保修设备经营部

主营：汽车维修工具

地址：合肥市长江东路714号合肥汽配城B区2座267号
电话：0551-4232181

合肥五一汽车油漆有限公司

主营：油漆

地址：合肥市长江东路714号合肥汽配城B区2座268-269号
电话：0551-4228971

合肥精工汽配经营部

主营：各种汽车电器

地址：合肥市长江东路714号合肥汽配城B区2座270-271号
电话：0551-4223029

合肥圣兰润滑油经营部

主营：和种润滑油

地址：合肥市长江东路 714 号合肥汽配城 C 区 3 座 233 号
电话：0551-4230708

合肥超越汽保总汇

主营：经销进口、国产汽车维修工具

地址：合肥市长江东路 714 号合肥汽配城 C 区 3 座 234 号
电话：0551-7124661

合肥明标汽配经营部

主营：油封、皮带、水管种接头

地址：合肥市长江东路 714 号合肥汽配城 B 区 1 座 235 号
电话：0551-4229693

合肥瑞丰汽配经营部

主营：瑞丰系列配件

地址：合肥市长江东路 714 号合肥汽配城 235-1 号
电话：0551-4229689

合肥忠城汽车维修经营部

主营：汽车工具

地址：合肥市长江东路 714 号合肥汽配城 B 区 1 座 616-617 号
电话：0551-4241098

合肥信达汽车配件经营部

主营：各种车型增压气、助力泵、水泵

地址：合肥市长江东路 714 号合肥汽配城 B 区 1 座 236-237 号
电话：0551-4218738

合肥新北方汽车配件经营部

主营：东风、等汽车配件

地址：合肥市长江东路 714 号合肥汽配城 C 区 3 座 218-219 号
电话：0551-4219790

合肥丰达汽配商行

主营：江淮系列、一汽金杯配件

地址：合肥市长江东路 714 号合肥汽配城 C 区 3 座 220 号
电话：0551-7124581

合肥双峰汽配商行

主营：微型车配件

地址：合肥市长江东路 714 号合肥汽配城 C 区 3 座 221-223 号
电话：0551-4242308

合肥专宝汽配商行

主营：一汽金杯、丰田海狮原厂配件

地址：合肥市长江东路 714 号合肥汽配城 C 区 3 座 230、339 号
电话：0551-7123515

合肥通昌汽配经营部

主营：北京切诺基纯正配件、批发零售

地址：合肥市长江东路 714 号合肥汽配城 C 区 3 座 231 号
电话：0551-4224573

合肥永盛汽车玻璃商行

主营：各种车型玻璃

地址：合肥市长江东路 714 号合肥汽配城 C 区 3 座 232 号
电话：0551-4213913

合肥瑶海区远汽配经营部

主营：紧固件、液压管、拉线

地址：合肥市长江东路 714 号合肥汽配城 A 区 5 座 144-145 号
电话：0551-7124582

合肥车用柴油机配件公司

主营：柴油机配件

地址：合肥市长江东路 714 号合肥汽配城 A 区 5 座 212 号
电话：0551-4221684

合肥汽配经营部

主营：供应 ND30 型汽车暖风机总成

地址：合肥市长江东路 714 号合肥汽配城 C 区 3 座 213-214 号
电话：0551-4229922

合肥东华灯具经营部

主营：汽车灯具、内外饰件等用品

地址：合肥市长江东路 714 号合肥汽配城 C 区 3 座 215 号
电话：0551-4214335

合肥顺达汽车配件经营部

主营：东风汽车配件

地址：合肥市长江东路 714 号合肥汽配城 C 区 3 座 216 号
电话：0551-7123867

合肥建安汽配经营部

主营：扬子皮卡、田野、长城等配件

地址：合肥市长江东路 714 号合肥汽配城 C 区 3 座 217 号
电话：0551-4229992

合肥恒业汽配商行

主营：微型车配件

地址：合肥市长江东路 714 号合肥汽配城 A 区 6 座 131 号
电话：0555-4219238

合发汽配商行

主营：汽车音响、护理用品、装潢材料

地址：合肥市长江东路 714 号合肥汽配城 A 区 5 座 132-133 号
电话：0551-4242739

合肥现代汽配商行

主营：大宇等新老款配件

地址：合肥市长江东路 714 号合肥汽配城 A 区 5 座 134-135 号
电话：0551-4247308

合肥新港汽配经营部

主营：各类装潢用品

地址：合肥市长江东路 714 号合肥汽配城 A 区 5 座 136-137 号
电话：0551-7124662

合肥通宇钢板经营部

主营：各种车型汽车板簧及板簧配件

地址：合肥市长江东路 714 号合肥汽配城 A 区 6 座 140-141 号
电话：0551-4212208

合肥东兴汽车用品商行

主营：批发汽车音响、CD 防盗器等用品

地址：合肥市长江东路 714 号合肥汽配城 A 区 5 座 142-143 号
电话：0551-424739

长春一汽备资源公司装车润滑油分公司合肥办事处

主营：一汽今马、一汽三精两大系列润滑油

地址：合肥市长江东路714号合肥汽配城A区4座116-117号
电话：0551-7123552

合肥金宇汽车配件经营部

主营：微型车配件

地址：合肥市长江东路714号合肥汽配城A区120-123号
电话：0551-4214464

合肥庆云汽车零件开发公司

主营：镗缸、磨轴等件加工

地址：合肥市长江东路714号合肥汽配城A区4座124-125号
电话：0551-4221389

合肥利发汽配商行

主营：夏利、大众系列配件

地址：合肥市长江东路714号合肥汽配城A区6座126-128号
电话：0551-4218958

合肥新起点汽配商行

主营：大众系列配件

地址：合肥市长江东路714号合肥汽配城A区6座129号
电话：0551-4219111

合肥顺发汽配经营部

主营：北汽福田、时代轻日前各种暖风器

地址：合肥市长江东路714号合肥汽配城A区6座130号
电话：0551-4231569

合肥巨人润滑油经营部

主营：润滑油

地址：合肥市长江东路 714 号合肥汽配城 A 区 3 座 109 号
电话：0551-42322438

合肥保业汽车配件经营部

主营：各种进口、国产汽车灯具、变速箱

地址：合肥市长江东路 714 号合肥汽配城 A 区 3 座 110 号
电话：0551-4230681

合肥诚汽配经营部

主营：紧固件

地址：合肥市长江东路 714 号合肥汽配城 A 区 3 座 111 号
电话：0551-4232789

蚌埠滤清器总厂合肥经销部

主营：滤清器

地址：合肥市长江东路 714 号合肥汽配城 A 区 3 座 112-113-1 号
电话：0551-4230634

合瑶海丰顺汽车配件经营部

主营：农用车改装底盘配件

地址：合肥市长江东路 714 号合肥汽配城 A 区 3 座 114-115 号
电话：0551-4221285

合肥合发汽配经营部

主营：农用车改装底盘配件

地址：合肥市长江东路 714 号合肥汽配城 A 区 3 座 112-113-2 号
电话：0551-4241538

金杯海狮汽车配件销售公司

主营：仪征 621、6460、6450，金杯皮卡配件、小解放 1046、1026、6460、1043、1049

地址：滕州市荆河西路西转盘滕州汽配城内
电话：0632-5675032

金朋微型汽车配件销售公司

主营：奥拓、夏利、大发、昌河、长安、松花江微型全车配件

地址：滕州市荆河西路西转盘滕州汽配城内
电话：0632-5675529

蓝田汽车配件销售公司

主营：微型 50 汽车配件、一汽佳宝、哈飞中意、佛山灯泡、永迪灯芯

地址：滕州市荆河西路西转盘滕州汽配城内
电话：0632-3975018

安达汽车配件销售公司

主营：宇通、中通、金龙、亚星、半挂类、富华桥、安徽桥

地址：滕州市荆河西路西转盘滕州汽配城内
电话：0632-3975022

华平汽车配件销售公司

主营：大、中、小汽车配件大全、汽车半轴、传动轴

地址：滕州市荆河西路西转盘滕州汽配城内
电话：0632-5676446

长宏汽车配件销售公司

主营：福田、时风、跃进、宇康自卸、扬柴、湖动、柳发、扬动、常柴发动机配件

地址：滕州市荆河西路西转盘滕州汽配城内
电话：0632-5675416

上海东唐（汽配）物流集团滕州分公司

主营：微型、柴油、油品、养护产品

地址：滕州市荆河西路西转盘滕州汽配城内
电话：0632-5675808

瑞宇蓄电池专卖

主营：蓄电池

地址：滕州市荆河西路西转盘滕州汽配城内
电话：0632-5675089

顺发微型汽车配件销售公司

主营：奥拓、夏利、大发、昌河、长安、松花江微型全车配件

地址：滕州市荆河西路西转盘滕州汽配城内

电话：0632-5675158

荆河全顺润滑油供应站

主营：润滑油

地址：滕州市荆河西路西转盘滕州汽配城内

电话：0632-5675356

大地汽车配件销售公司

主营：福田、时风

地址：滕州市荆河西路西转盘滕州汽配城内

电话：0632-5675689

飞亚达汽车配件销售公司

主营：钢板、齿轮、发动机

地址：滕州市荆河西路西转盘滕州汽配城内

电话：0632-5675546

银河商贸润滑油销售公司

主营：润滑油

地址：滕州市荆河西路西转盘滕州汽配城内
电话：0632-5675396

东昌物资有限责任公司

主营：润滑油

地址：滕州市荆河西路西转盘滕州汽配城内
电话：0632-5675372